Josef Bommer

«Mein Weg zu einem menschenfreundlichen Gott»

Ein Gespräch mit Anton Ladner

EDITION NZN
BEI TVZ
Theologischer Verlag Zürich

Die Deutsche Bibliothek – Bibliografische Einheitsaufnahme
Die Deutsche Bibliothek verzeichnet diese Publikation in der Deutschen Nationalbibliografie; detaillierte bibliografische Daten sind im Internet über www.dnb.de abrufbar.

Umschlaggestaltung: Mario Moths, Marl, unter Verwendung
einer Fotografie von Maria Wenk
Satz und Layout: Mario Moths, Marl
Druck: ROSCH-Buch Druckerei GmbH, Scheßlitz

ISBN: 978-3-290-20087-2

JOSEF BOMMER

«Mein Weg zu einem menschenfreundlichen Gott»

Ein Gespräch mit Anton Ladner

INHALT

EINFÜHRUNG

Die Temperaturen sind an diesem Sonntag im Juli wieder auf ein herbstliches Niveau gefallen. Ein leichter Wind lässt die Bäume neben der Kirche St. Martin flüstern. Sie waren vor Jahren gepflanzt worden, um der kleinen katholischen Kirche am protestantischen Zürichberg Diskretion in der Diaspora zu bieten. Zum Gottesdienst finden sich viele Besucher ein, obschon die Schulferien vor einer Woche begonnen haben. Der knapp 90-jährige Josef Bommer eröffnet die Messe: «Herzlich willkommen zu diesem Gottesdienst.» Er dreht sich den zwei Ministranten zu, die einzigen Kinder in der Messe, lächelt sie an, dann lächelt er in die Gemeinde und fährt mit dem liturgischen Gruss fort.

Der emeritierte Theologieprofessor und frühere Pfarrer von St. Martin verfügt über eine starke Ausstrahlung, die berührt. Den einen erscheint er als personifizierte Herzlichkeit und den andern als der selige Gläubige, der mit grosser Freude glaubt. Spürbar ist jedenfalls, dass er die Menschen mit ihren Sorgen, Nöten und Bedürfnissen tief liebt. Seine Predigten sind wohl deshalb nicht moralisierend, nicht durchsetzt mit Bekenntnissätzen, sondern voll mit emotionalen und intellektuellen Einladungen, an der grossen Herausforderung Glauben aktiv zu partizipieren. Er lässt sich dabei von Jesus leiten, für den immer die Begegnung der Weg zum Glauben war. Das weckt Neugier. Auf welchen Wegen ist Josef Bommer das geworden, was er heute ausstrahlt? Wie sieht er seinen Werdegang, das Leben im Rückblick? Was war entscheidend, und: Worauf kommt es an?

Als ich Josef Bommer die Idee eines Interview-Büchleins zu diesen und weiteren Fragen unterbreitete, zögerte er. In einem Brief begründete er seine Absage: «Meine Stärke ist wohl die Predigt und das Predigen. Und ich hoffe, dass ich diese Aufgabe trotz meines hohen Alters noch einige Zeit erfüllen kann.» Unterzeichnet war der Brief mit einer klaren Unterschrift, die nicht den geringsten Rückschluss auf sein Alter zuliess.

Schliesslich lässt sich Josef Bommer doch noch für das Buchprojekt gewinnen. Und so erscheint er jeweils am Sonntag um 15.00 Uhr zum Interview. Man kann die Uhr nach ihm richten. Er klingelt immer eine oder zwei Minuten vor drei und sagt: «Die Pünktlichkeit ist eine meiner wenigen Tugenden.»

In den zahlreichen Gesprächen rücken die Details seines Lebensweges oft in den Hintergrund, weil er nicht seine Person im Mittelpunkt sehen will, sondern seine theologischen Vorstellungen. Dann kommt Feuer auf, wenn er theologisch herleitet, begründet und Lösungen erklärt. Die

Vermittlung der Theologie, die Predigt war schon immer seine grosse Leidenschaft – als Vikar in Liebfrauen, als Pfarrer in St. Martin und als erster Lehrstuhlinhaber für Pastoraltheologie in Luzern. Noch heute packt ihn diese Leidenschaft als Gastpriester in verschiedenen Gemeinden. Für ihn steht dabei immer der Dienst an den Menschen im Zentrum.

«Die Kirche ist für die Menschen da und nicht die Menschen für die Kirche.» So lautet das Fazit seines Priesterlebens, das von drei Phasen mit erheblichen Wertewandeln geprägt ist: Von der vorkonziliaren Zeit, als die Messen mit dem Rücken zur Gemeinde gelesen wurden, vom Konzil, das Aufbruchsstimmung auslöste, und von der Polarisierung, die seither zwischen konservativen und fortschrittlichen Kräften wächst.

Bommers Antworten regen an, über das eigene Leben, die tiefste Hoffnung und den Glauben nachzudenken und neue Schritte zu wagen. Die im vorliegenden Büchlein zusammengefassten Gespräche mit ihm waren für mich ein Gewinn. Sie veranlassten mich, mein «kindliches» Gottesbild zu revidieren. Dafür bin ich Josef Bommer sehr dankbar.

Anton Ladner, Sommer 2012

Geleitwort

Es gibt für mich nichts Spannenderes als Biografien und Lebensgeschichten. Dies wird mir wieder bewusst, wenn ich zur Publikation über das Leben von Josef Bommer mit dem wunderbaren Titel «Mein Weg zu einem menschenfreundlichen Gott» ein Vorwort beisteuern darf. Doch statt eines distanzierten Vorworts verstehe ich meine Zeilen vielmehr als ein Geleitwort. Denn mein Leben ist vielfach auch von Begegnungen mit Josef Bommer geprägt worden. Ich hatte ihn vor bald vierzig Jahren als Gastreferent nach Münster eingeladen, wo ich damals wirkte. Als ich habilitiert in die Schweiz zurückkehrte, wurde er ein Fachkollege. Wir trafen uns in der Gruppe Schweizer Pastoraltheologen und tauschten uns beruflich aus. Daraus entstand eine persönliche Beziehung, die eine langjährige Freundschaft wurde. Den sich verschenkenden Reichtum und das Geheimnis eines Menschen kann man zwar nie einholen. Aber man kann ihm begegnen und Teilstrecken des Weges gemeinsam gehen.

Wenn ich an Josef Bommer denke, dann kommen mir spontan zwei «Pas-Wörter» in den Sinn: Pastor (Pfarrer) und Pastoral-Theologe. Zwei kleine, aber bezeichnende Reminiszenzen darf ich wohl verraten, denn sie weisen auf Josef Bommer als Seelsorger hin:

Kürzlich kamen bei einer grossen Geburtstagsfeier Freunde auf mich zu und berichteten von einer grossartigen Predigt, die sie eben in Zürich gehört hätten: «Dr. Bommer über das Konzil. Die Leute haben vor Begeisterung geklatscht.» – Da erinnerte ich mich an eine frühere Episode. Bei einer Tagung an der Paulus-Akademie kam eine Frau auf mich zu und ortete sich folgendermassen: «Wissen sie, ich komme aus der Pfarrei von Dr. Bommer, unserem Starpfarrer in Zürich ...» Josef Bommer als Pfarrer bzw. als Seelsorger und als Prediger. Pastor ist in einigen deutschsprachigen Gebieten die Bezeichnung für den Pfarrer. Damit wird der Seelsorger als Hirte gekennzeichnet – in Anlehnung an Psalm 23,1: «Der Herr ist mein Hirte; mir wird nichts mangeln.» – Ist von diesem Hirten-Dienst nicht das Leben von Josef Bommer geprägt? Die vorliegende Schrift legt ein beredtes Zeugnis davon ab. Schon in seiner Zeit als Jungpriester rang er um ein existenzielles Verständnis der Sakramente, insbesondere was die Beichte und Bussfeiern betraf. Dabei verrät sich schon, dass für den späteren Pfarrer von St. Martin in Zürich der erlösungsbedürftige Mensch im Zentrum steht, kein Selbstzweck kirchlicher Rituale und kein formales Sünden- und Schuldverständnis. Dabei hält Josef Bommer immer wieder die Spannung zwischen den Realitäten des Lebens und der Botschaft von einem menschenfreundlichen Gott aus.

Nach den ersten seelsorglichen Erfahrungen erlebte er die Zeit als Vikar in Liebfrauen (Zürich) und als Mittelschulseelsorger und dann die Jahre in Rom mit der Promotion in Theologie als einen persönlichen Prozess vom Bekenntnis-Glauben zum Begegnungs-Glauben. Verrät sich darin nicht schon seine befreiende Offenheit für die Begegnung mit Menschen? Josef Bommer kann auch ausgezeichnet andere gelten lassen und anerkennen. Seine Wanderjahre fielen in eine Zeit des gesellschaftlichen Wandels und des Umbruchs in der Kirche mit all den Aufbrüchen und Abbrüchen. Als das Zweite Vatikanische Konzil (1962–1965) begann, wurde Josef Bommer Pfarrer von St. Martin. Für seine Pfarrei schwärmt er geradezu: «Grossartig. Ich hatte die ideale Gemeinde gefunden», findet der Jubilar. Darin schwingt die Freude am Pfarrersein mit.

Doch sein Weg als «Pastor» mit der Vorliebe für Begegnungen und Predigt führte 1972 zur Professur der Pastoral-Theologie in Luzern. Es begann damals die Schweizer Synode 72 mit den langsam sich einsetzenden Verzögerungen unserer konziliaren Naherwartungen. Josef Bommer liess sich nicht beirren. Immer wieder betonte er den Dienst am Menschen. Pastoraltheologie verstand er als brauchbare Theorie der seelsorglichen Praxis und als Kunst und Wissenschaft. Aber im Herzen blieb Josef Bommer weiterhin der Seelsorger, der Pastor, der Hirte. Seelsorge ist für ihn die Sorge um den einzelnen Menschen, Menschensorge im Zeichen mitmenschlicher Begegnung und im Zeichen des Gesprächs. Von daher sollten Theologie und Kirche beim Thema Gesellschaft ansetzen, und nicht zuerst bei den internen Sorgen um die Kirche als Institution.

Im Zentrum der kirchlichen Sendung und der Seelsorge sind die Orte der Menschen und die Lebenserfahrungen in guten und in schweren Tagen. Dort sind auch die Orte für das Wirken der Kirche.

In den Veröffentlichungen von Josef Bommer wurden deshalb Themen gewichtet wie Schuld und Versöhnung (Beichte), Gesetz und Freiheit, Fragen um Predigt und Verkündigung, Sakramentenpraxis und religiöses Brauchtum, Kirchenjahr mit seinen Jahreszeiten, die Pfarrei als Gemeinde, Kirche als Volk Gottes, dynamische Pfarrei und Volksfrömmigkeit usw. Dabei ist er immer um das bemüht, was «gesunde Mitte» genannt wird. Zu ihm passen weder Jammern noch extreme Positionen.

Neben dem «Pastor» und Pastoraltheologen fällt mir bei Josef Bommer seine Lebensweisheit auf, gepaart mit einer befreienden Ehrlichkeit sich und dem Leben gegenüber: Umgang mit Freizeit, Zölibatsfrage, familiäre Herkunft, Ringen um seine Entscheidung für die Pastoraltheologie ... Beeindruckt hat mich vor allem seine biografische Nachdenklichkeit zum «Lebensherbst». Auch bei ihm darf und kann man lernen, dass Älterwerden ebenfalls ein Werden ist mit all den Einschränkungen, Vertiefungen und Anpassungen. Er betrachtet die Fakten des Lebens als Tatsachen und als Geheimnis. Erfahrungen führen bei ihm in die Weite und in die Tiefe. Ich möchte von den vielen kleinen Auferstehungsschritten zu sich selbst sprechen im Horizont der Hoffnung auf die grosse Auferstehung.

Berührend sind in diesem Zusammenhang immer wieder die Fragen, die um die so genannte Theodizee-Frage kreisen, die Fragen nach Gott und nach unseren Gottesbildern. «Ich lebe so gerne. Ich habe auch Mühe, mir vorzustellen, wie es weitergehen soll.» – Welch geistige Freiheit! In den Bekenntnissen und Fragen von Josef Bommer erkennt man durchaus Anteile der eigenen Biografie, doch findet man auch sich selbst wieder in der Spannung zwischen Wunsch und Wirklichkeit: «Es braucht dann besonders Sinn für Menschlichkeit, für Menschenrechte. Und ganz wichtig ist für mich Herzlichkeit.» Die Begegnung mit Josef Bommer wird so zum Vermächtnis. Dafür kann man nur dankbar sein und ad multos annos wünschen.

Leo Karrer

I Von der Zürcher Arbeiterpfarrei St. Josef ins Klosterinternat Disentis

Anton Ladner: Josef Bommer, sehr oft ist das Gymnasium entscheidend für die Berufswahl. Sie sind nach der Primarschule in Zürich nach Disentis ins Kloster-Gymnasium. Wie kam es dazu?

Josef Bommer: Ich wusste eigentlich schon damals, dass ich Priester werden wollte. Da hat sich das Gymnasium in Disentis anerboten. Ich stamme aus einer Arbeiterfamilie und bin in sehr bescheidenen Verhältnissen aufgewachsen. Weder meine Mutter noch mein Vater hatten einen Beruf. Meine Mutter kam aus Deutschland und arbeitete in der Schweiz als Dienstmädchen. Mein Vater war Hilfsarbeiter, später Wagenreiniger bei der städtischen Strassenbahn Zürich und brachte es am Schluss bis zum Wagenführer. Meine Eltern hatten mit 23 Jahren geheiratet, was damals normal war. Wir lebten im Kreis 5, im Industriequartier von Zürich, in einer Dreizimmerwohnung. Da war für mich und meine Schwester nicht viel Platz. Aber das war damals auch normal. Und wohl war es auch normal, dass Geld immer eine Rolle spielte, weil es einfach nie reichte. Umso erstaunlicher ist, dass meine Eltern mich und meine Schwester studieren liessen. Natürlich haben auch die Lehrer entsprechend eingewirkt, weil ich zu den besten Schülern zählte. Meine Jugend mit meinen frommen Eltern war bescheiden, aber dennoch schön.

Waren Ihre Eltern sehr religiös?

Mein Vater war ein sehr bescheidener Mensch. Ich hatte ihn nie zornig gesehen. Er war ein lieber und ein richtig frommer Mann, aber ohne Sektiererei oder Bigotterie. Meine Mutter wirkte als tüchtige Hausfrau, sie hat den Haushalt geschmissen. Sie hat irgendwie den Karren gezogen. Wenn es für die Miete nicht mehr reichte, bat sie den Hausmeister um Geduld. Damals liess man auch im Konsum anschreiben, und wenn es Ende Monat eng wurde, ging sie hin und verhandelte. Wir lebten sehr bescheiden, aber die religiöse Kraft in meinem Elternhaus hat mich geprägt.

Wie hat sich in diesem nicht leichten Leben der Glaube manifestiert?

Wir wuchsen damals in der katholischen Diaspora auf. Die Katholiken hielten zusammen und hatten sich gegen die Protestanten etwas abgegrenzt. Wir kauften beim katholischen Metzger, beim katholischen Bäcker ein, man verkehrte praktisch nur unter Katholiken. Insbesondere hat uns das kirchliche Leben in der Arbeiterpfarrei St. Josef stark geprägt; die jungen Priester beispielsweise konnten mir viel vermitteln, und ich liess mich begeistern.

Und in der Familie?

Der Glaube war stark eingebettet in gewisse Regeln. An

einem Freitag gab es sicher nie Fleisch, und die Fastenzeit wurde ernst genommen. Am Sonntag war der Besuch der Messe und der Andacht am Nachmittag selbstverständlich, obschon wir einen Weg von 30 Minuten zurücklegen mussten. Ich hatte das genossen. Am Morgen vor der Schule machte uns die Mutter mit Weihwasser ein Kreuz auf die Stirn, am Abend gab es ein Nachtgebet.

Erinnern Sie sich noch an Ihre Erstkommunion?

Wir hatten damals alle zehn Jahre eine Volksmission, eine Art Evangelisation in der Gemeinde. Das waren Volksmissionare, die Dutzende von Pfarreien besuchten, Predigten hielten und Grundsätze thematisierten. Da gab es auch ein Programm für Kinder. Ich war im Primarschulalter, und ein Priester erzählte uns vom Himmel. In einer Art Sprechchor lernten wir: «In den Himmel will ich kommen. Fest habe ich es mir vorgenommen. Der Himmel ist unser Ziel. Der Himmel ist nicht zu viel.» Wir brüllten die Wiederholungen aus voller Brust. Da kam in mir der Wunsch auf, in den Himmel zu kommen. In meiner kindlichen Vorstellung ging ich davon aus, dass man als Priester sicher in den Himmel komme. Vor Gott hatte ich mich allerdings etwas gefürchtet. Wir hatten ein einseitigs Gottesbild, der strafende Gott, der zürnende Gott. Die Erstkommunion erwies sich in dieser Welt als grosses Erlebnis. Der Gedanke, Priester zu werden, hat mich danach nicht mehr losgelassen. Die einzige Alternative für mich zum Priesteramt wäre der Lehrerberuf gewesen.

Das Priesteramt war somit für Sie vorbestimmt?

Viel war Selbstbestimmung. Ich bin behutsam im Umgang mit den Begriffen Vorsehung, Vorbestimmung, Willen Gottes.

Warum?

Weil ich mit dem Theodizee-Problem nicht zu Schlage komme. Wie kann ein gütiger Gott das Elend auf dieser Erde zulassen? Das ist für mich ein unlösbares Problem. Gott hat irgendwie seine Schöpfung nicht mehr im Griff. Dass er sie einfach schlittern lässt, ist für mich aber auch nicht vorstellbar. Es gibt so viel sinnloses Leiden. Damit werden viele nicht mehr fertig, und das plagt auch mich. Gott ist ein grosses Geheimnis, die grosse Unbegreiflichkeit.

Neigen Sie deshalb zur Annahme, dass wir unser Schicksal selbst bestimmen?

Gott hat uns eine grosse Freiheit zugemutet, eigentlich die totale Freiheit. Er ist ein «mitleidender Gott» Der Theologe Johann Baptist Metz hat diesen Begriff gepragt.

Ist das Ihr Gottesbild heute?

Bei einem religiösen Menschen ist die Lebensgeschichte auch eine Glaubensgeschichte, und die Glaubensgeschichte wiederum wird zur Geschichte mit Gott. Obschon Gott beständig ist, sind unser Gottesbild, unsere Gottesvorstellung und die Gotteserfahrung wandelbar. Wenn ich heute zurückschaue, gibt es vier Gottesbilder, die ablösend und ergänzend mein Leben bestimmt haben:

Am Anfang stand der selbstverständliche Gott, der Gott meiner Kindheit, meiner Schulzeit bis zur Matura. Gott als der liebe Gott. Er sitzt da, es gibt keine Zweifel, nichts wird hinterfragt. Er trägt und bestimmt das Leben, den Alltag, den Sonntag. Morgens und abends sowie bei Tisch wird gebetet. Der Sonntagsgottesdienst ist das Normalste der Welt. Ausserdem geht man monatlich zur Beichte. Denn ganz angstfrei war dieser Glaube ja auch nicht. Gott sieht alles und jedes. Er belohnt und bestraft. Man glaubt an den Himmel, an das Fegfeuer und an die Hölle.

Das war das biblische Gottesbild Ihrer Kindheit?

Richtig. Im Klosterinternat Disentis kam zu diesem Bild die Ästhetik hinzu: Ein barockes Kloster, eine gepflegte Liturgie, vollkommener Choralgesang. Ich durfte erfahren, dass Gott nicht nur gut, nicht nur wahr, sondern auch schön ist. Der fragwürdige Gott tauchte erst in meinem Theologiestudium auf. Später als Priester entdeckte ich schliesslich den menschenfreundlichen Gott. Der Weg zu diesem Gott führt über den Menschen, über seine Sorgen, Freuden, seine Nöte und Bedürfnisse. Es ist der Gott und Vater Jesu Christi. Jesus lehrte uns, Gott mit dem Namen Abba, lieber Vater, anzusprechen. Ein Gott, der sich um uns kümmert, dem unser Glück am Herzen liegt. Und nun im Alter bin ich hin und her gerissen. Das Theodizee-Problem sitzt wie ein Stachel im Fleisch. Da ist die nie mehr verstummende Frage: Wo war in Ausschwitz Gott? Viele alte Menschen bestätigen es mir. Die Sache mit Gott wird nicht leichter. Es

Die Basilika des Benediktinerklosters Disentis

gibt den nahen und fernen Gott, die hellen und die dunklen Seiten dieses Gottes. Es gibt Gott als personales Du, und es gibt die Gottheit, die in allem und jedem ist, uns umgibt wie Luft und Wasser. Gott in mir und in dir und in allen Wesen. Da öffnet sich eine mystische Seite unseres Glaubens: Die Gotteserfahrung als eine Mystik des Gott-Überlassenseins in allem Tun.

Sie erlauben an dieser Stelle einen zeitlichen Vorgriff, denn sicher waren die Liturge mit ihrer Ästhetik und die Auseinandersetzung mit verschiedenen Gottesbildern Motive für die Entscheidung, Priester werden zu wollen. Spielte vielleicht auch eine Idealvorstellung des Priesteramtes eine Rolle?

Mir hat es später gefallen, so nahe bei den Menschen wirken und auf sie eingehen zu können. Aber die Liturgie hat mich von klein auf fasziniert. Deshalb bin ich 1935 auch gerne nach Disentis gegangen. Meine Eltern wollten meine Schwester und mich in einem katholischen Umfeld studieren lassen. Im Klosterinternat verbrachte ich dann sieben glückliche Jahre, weil ich in einer religiösen Welt leben konnte. Eine Idealvorstellung vom Priesteramt hatte ich in Disentis wirklich erlebt, und das hat mich stark motiviert.

Abgesehen von Liturgie und katholischem «Reservat»:
Warum war für Sie Disentis eine so glückliche Zeit?

Die Landschaft und das organisierte Leben im Kloster machten mich glücklich. Für mich als Grossstadtbuben war diese Bergwelt zauberhaft. Wir konnten Ski fahren, Fussball spielen und in den Bergen wandern. Es war ein richtiges Bergleben. Von Ilanz nach Disentis gab es nur eine Naturstrasse. Im Winter waren wir regelmässig eingeschneit. Das hatte seinen Reiz. Um halb sechs standen wir auf – wir waren sieben Klassen – und gingen in die Messe. Danach gab es Frühstück und anschliessend Studium, gefolgt vom Unterricht. Aber es blieb auch immer Zeit für Spiele, wir hatten sogar eine Boggia-Anlage. Allerdings mussten wir am Abend früh ins Bett, um halb neun wurden die Lichter gelöscht.

Beim Internatseintritt waren Sie erst 11 Jahre alt, die Trennung von Ihren Eltern muss hart gewesen sein.

Weil ich ein schmächtiges Bürschchen war, meinte unser Arzt, Bergluft würde mir guttun. Disentis kannte ich von der Ferienkolonie, die mir sehr gefallen hatte. Aber das Heimweh war manchmal sehr gross. Einige fanden es brutal, mit 11 Jahren wegzuziehen. Aber die Eltern kamen mich ab und zu besuchen. Und ich war ja nicht allein, es hatte 90 Mitschüler und 80 Patres.

Aber es gab keine Liebkosungen mehr, und Sie mussten fast wie ein Erwachsener leben.

Das stimmt. Da waren eben enge Grenzen gesetzt. Wenn man unter starkem Heimweh litt und von einem Pater in dessen Zelle getröstet wurde, konnte das in dieser reinen Männergesellschaft rasch heikel werden.

Was war für Sie in Disentis das grösste Problem?

Mein Heimweh zu überwinden. Da gab es Patres, die mir geholfen haben. Aber das waren andere Zeiten. Zärtlichkeiten gab es damals auch in der Familie nicht. Wir hatten uns in der Familie gerne, aber die Beziehung war distanziert. Auch in Disentis wurden die Beziehungen distanziert gelebt, weil man grundsätzlich Angst vor dem Sexuellen hatte. Es herrschte die Vorstellung, dass sexuelle Handlungen automatisch in die Hölle führten.

Disentis um 1930

Die regelmässigen Morgenmessen waren also kein Problem für den jungen Josef?

Die tägliche Messe war für mich keine Last. Andere Kollegen nutzen die Messe, um Schulstoff zu lernen. Ich hingegen genoss die Messen. Ich war ein guter Schüler, lernte einfach, weil ich ein gutes Gedächtnis hatte. Bei der Matura beispielsweise rettete es mich in der Mathematik, weil ich mich an ein Lösungsmuster erinnerte, obschon ich die Aufgabe nicht verstanden hatte. Dennoch reichte es für die beste Matura.

Disentis heute

Wenn Sie zurückblicken auf Ihre Kindheit und Jugend, was, glauben Sie, waren die einschneidendsten Ereignisse und Begegnungen, die Ihren Lebensweg beeinflusst haben?

Der Lauf des Gewöhnlichen im positiven Sinne. Es gab keine einschneidenden Ereignisse oder traumatische Erfahrungen wie Todesfälle in der Familie, die mich geprägt hätten. Ganz zentral waren für mich meine lieben Eltern, engagierte Priester und eine ausgezeichnete Lehrerin von der vierten bis zur sechsten Klasse. Meine gesundheitlich angeschlagene Mutter arbeitete damals als Werbe-Dame für Elektrolux – nur für uns Kinder. Das hat mich und meine Schwester stark angespornt, gute Ergebnisse zu erzielen. Denn wir wussten, dass es für unsere Mutter kein Vergnügen war, Klinken zu putzen.

Luftaufnahme des Klosters Disentis um 1940: Unter dem Dach im hinteren Teil links befanden sich die Schlafräume.

Speisesaal um 1940: Morgens gab es eine Suppe und ein grosses Stück Brot, das auch für Zwischenmahlzeiten ausreichen musste.

Die Schulklasse von Josef Bommer

Maturakarte der Klasse von Josef Bommer

II Jungpriester in Chur: Menschen in Not

1942 haben Sie die Matura bekommen. Wie ging es weiter?

Ich absolvierte in der Kaserne auf der Allmend in Luzern die Rekrutenschule. Das war eine schlimme Zeit, weil ich kein kräftiger Mann war und die Rekruten ziemlich gedrillt wurden. Ich litt auch darunter, dass die Vorgesetzten auf Pferden die Rekruten wie Dreck behandelten. Dann kam der Aktivdienst an der Grenze im Tessin und im Jura. Es war für mich keine leichte Zeit. Zum Glück konnte ich dann weg, ins Priesterseminar nach Chur.

Das war die Fortsetzung von Disentis.

Die äusseren Bedingungen waren im Priesterseminar viel besser, zum Beispiel das Essen; und jeder hatte ein eigenes Zimmer. Aber die Atmosphäre war schlechter. Wir 72 Studenten unterstanden einem strengen Regens: So hatte der Leiter des bischöflichen Seminars beispielsweise gegenseitige Besuche der Studenten auf den Zimmern verboten. Wir waren ständig überwacht. Die Furcht der Leitung, es könnte etwas Sexuelles passieren, war immer spürbar.

Priesterseminar St. Luzi in Chur

Das klingt nach ständigem Verdacht.

Es herrschte eine grosse Angst, dass sich zwei Studenten auf dem Zimmer Freiheiten herausnehmen könnten. Und ein Priester, der heiratete, galt in dieser Welt als Abfall, als Judas. Ich empfand die Zeit in Chur ab und zu als emotionale Belastung. Dennoch habe ich diese fünf Jahre unbeschadet überstanden.

Kamen Ihnen mit diesen neuen zwischenmenschlichen Erfahrungen keine Zweifel, ob Sie auf dem richtigen Weg seien?

Überhaupt nicht. Wir hatten teilweise auch sehr gute Dozenten, zum Beispiel Johannes Feiner, der uns Karl Rahner näherbrachte. Und ich war überzeugt, dass dies mein Weg war … Die Priesterweihe fand dann 1946 im Churer Seminar statt, die anschliessende Primiz in meiner Heimatpfarrei St. Josef in Zürich.

KARL RAHNER

Der Jesuit Karl Rahner (geb. 5.3.1904 in Freiburg i. Br., gest. 30.3.1984 in Innsbruck) lehrte als Dogmatikprofessor an den Universitäten Innsbruck, Wien, München und Münster. Rahner wurde zu einem Meinungsführer der modernen Theologie. So meinte er: «Dogmen sind wie Strassenlaternen. Sie weisen in der Nacht dem Irrenden den Weg. Aber nur Betrunkene halten sich daran fest.»[1] Er bezog in seinen sehr zahlreichen Publikationen oft Stellung zu aktuellen Fragen, dabei fand seine Kritik jeweils mehr Beachtung als seine Lösungsvorschläge. Das mag damit zusammenhängen, dass Rahner schwer verständlich blieb. Zu diesem Schluss gelangte auch sein Schüler Karl Lehmann, später Bischof von Mainz und Vorsitzender der Deutschen Bischofskonferenz, der eine Systematik bei Rahner zu erarbeiten versuchte. 1962 wurde Rahner zum Peritus des Zweiten Vatikanischen Konzils berufen. Damals begleiteten einige Periti (theologische Konzilsberater) einzelne Bischöfe oder Gruppen von Bischöfen verschiedener Länder. Als Vertreter der wissenschaftlichen Theologie deutscher Sprache waren dies Karl Rahner für den Wiener Erzbischof und Kardinal Franz König sowie den Münchner Kardinal und späteren Vorsitzenden der Deutschen Bischofskonferenz Julius Döpfner, und Joseph Ratzinger, der spätere Papst Benedikt XVI., für den Kölner Erzbischof Kardinal Josef Frings.

Karl Rahner war ein zweifelnder Theologe, der Gott als grosses Geheimnis sah. Auch den Menschen verstand er als Geheimnis und erkannte darin das Menschliche. Rahner ging beim Glauben von persönlichen Erfahrungen aus, von einer Betroffenheit, und nicht von theologischen Glaubenssätzen. Die Pastoraltheologie war für ihn die «Vermittlung der Einsicht in die eigene Glaubenserfahrung». Deshalb sprach Rahner lieber von der «praktischen Theologie». Er verstand die praktische Theologie als heilschaffendes Tun der gesamten Kirche. Unter Kirche verstand er alle Getauften, nicht nur die «Amtsinhaber»; heute könnte man von einer Theologie von unten sprechen. Wenn Gott das Heil der Menschen will, sei jeder Christ zur Mithilfe («Seelsorge») aufgerufen, und nicht nur der Kleriker. Rahner war somit von einem Seelsorgerauftrag aller Getauften überzeugt.

Bei der praktischen Seelsorge ging es Rahner um die Situation des Menschen in der modernen Welt und somit um eine zeitgemässe Seelsorge. «Viele, die Gott hat, hat die Kirche nicht, und viele, die die Kirche hat, hat Gott nicht.»[2] Karl Rahner stellte sich damit gegen ein Christentum, das strikt normiert ist und von ihm als «Trachtenvereinschristentum» bezeichnet wurde. Damit zielte er auf die traditionsverwurzelte Autoritätskirche. Deshalb forderte Rahner ein neues Seelsorgeverständnis: Die Kirche solle sich dem gewandelten religiösen Lebensgefühl öffnen, der Glaube müsse so vermittelt werden, dass er bei den mündigen Christen auch ankomme. Mit dem Begriff Apostolat ging er über die kirchliche Seelsorge hinaus und forderte eine Seelsorge im umfassenderen Sinne.

Karl Rahner war gemäss seinem Wegbegleiter Herbert Vorgrimler «bis zu seinem Tode ein unbequemer Mensch». Er fühlte sich nur Gott und seinem theologischen Gewissen verpflichtet. «Er war freimütig bis zur Grobheit, und er hatte mit schöpferischer Phantasie neue Ideen, die er der Diskussion ausgesetzt sehen wollte.»[3] Mitte 1962 wurde Rahner von seinem Orden mit einer Vorzensur belegt, was einem Rede- und Schreibverbot gleichkam. Seine Beiträge, unter anderem zur Jungfrauengeburt, waren auf römische Kritik gestossen. Dank der Intervention der Kardinäle Döpfner, König und Frings sowie des Bundeskanzlers Konrad Adenauer wurde die Zensur vor Konzilsbeginn aufgehoben.

An Rahner scheiden sich die Geister in konservative und progressive. Seine Auffassung von «Gnade» als die sich für den Einzelnen wahrnehmbare Offenbarung Gottes in ein direktes Beziehungsgeschehen zwischen Gott und Mensch relativierte die Autorität der hierarchischen Amtskirche, was vor allem zu Abwehrreflexen aus Rom führte. Für die progressiven Kräfte war Rahner aber Hoffnungsträger für ein neues Theologieverständnis, vor allem in der Getto-Situation der Klerikerkirche unter Papst Pius XII. Dessen Nachfolger Johannes XXIII. wählte eine dem Menschen zugewandte Theologierichtung, was Rahners Postulaten Auftrieb verschaffte. Für Rahner war von dringlicher Wichtigkeit, eine lebensfähige Theologie an der Schwelle zur Jahrtausendwende aufzuzeigen. Dabei ging es ihm immer um die Hinführung zum absoluten und unbegreiflichen Geheimnis Gottes. Er setzte ganz auf die persönliche (Gottes-)Erfahrung. «Der Fromme von morgen wir ein ‹Mystiker› sein, einer, der etwas ‹erfahren› hat, oder er wird nicht mehr sein.»[4], lautete seine Überzeugung. Wer über sein Dasein bewusst oder unbewusst nachdenkt, steckt nach Rahner bereits in der Theologie. Aber die Theologie allein bewirkt noch keinen Glaubenszugang. Der kann nach Rahner nur durch Begegnung und Erfahrung erfolgen. Das Glaubensverständnis von Rahner hat seinen Ursprung im Menschensein und sucht Gott. In der Suche entsteht die Gelegenheit zur Selbsterfahrung, und aus ihr kann sich eine persönliche Gottesbeziehung entwickeln, die mit keinem dogmatischen erdachten Bekenntnissatz erreicht werden kann. Der Mensch ist laut Rahner realer Partner Gottes in Selbstverantwortung und Freiheit.

In seinen letzten Jahren hat sich Karl Rahner intensiv mit der Nutzbarkeit der Theologie beschäftigt. Sie solle so weit wie möglich die Existenz des Menschen im realen Leben erhellen und ihm den Mut geben, sich anbetend auf die Unbegreiflichkeit des Daseins einzulassen.

Die Priesterweihe muss für Ihre Eltern ein ganz grosser Tag gewesen sein.

Für meine Mutter war das der Höhepunkt in ihrem Leben. Ich glaube, für sie ging der grösste Wunsch in Erfüllung. Im Innersten hatte sie sich erhofft, dass ich Priester werde, sie hat jedoch nie darüber gesprochen. Aber ich habe gespürt, dass ein Sohn als Priester ihr grösster Lebenswunsch war. Mein Vater kaufte für die Primiz einen schwarzen Anzug. Auch er war mächtig stolz.

Nach der Primiz 1946 absolvierten Sie das fünfte Jahr im Seminar. Wie war das?

Es war eine besondere Situation. Wir waren vierzehn Priester, und jeder musste damals täglich «seine Messe lesen».

Josef Bommer mit seinen Eltern am Tag der Priesterweihe

Die tägliche Messe war damals ein Gebot, ja, eine Pflicht. Deshalb musste die Seminarkirche mit mehreren Altären ausgestattet werden, damit wir alle teils parallel die Messe lesen konnten. Das war irgendwie grotesk.

Wurden Sie auch seelsorgerisch tätig?

Damals begannen die ersten Praktika. Ich musste die Beichte abnehmen. In diesem Stuhl sitzend die Menschen anzuhören, war schon eine besondere Sache. Als ich zum ersten Mal von Kindern die Beichte hörte, war das für mich richtig lustig. Selbst Kind, hatte ich die Beichte als etwas Komisches erlebt. Ich hatte auch Angst, etwas zu vergessen, irgendwie war das peinlich.

Für mich als junger Vikar war es dann zwar anstrengend, die Beichte zu hören. Aber ich begriff schnell, dass die Beichte als entlastendes Gespräch hilfreich sein kann. In meinen späteren Jahren versuchte ich, das tabellarische Beichtbekenntnis auf ein Beichtgespräch zu lenken. Dadurch wurde aber das Gitter im Beichtstuhl infrage gestellt.

Sie verstehen die Beichte als psychotherapeutische Massnahme.

Die Beichte hatte immer eine starke psychologische Komponente. Es geht um das tiefe Bedürfnis, sich auszusprechen. Carl Gustav Jung hat sich bewundernd über die Beichte geäussert. Wenn auch die Beichte eine nötige, gute psychiatrische Behandlung niemals ersetzen könne, so meinte Jung, dass die Beichte doch manchen Katholiken vor dem Gang zum Psychiater bewahre.[5] Mit dem Aufkommen von Psychotherapien und psychologischen Betreuungen ging das Bedürfnis nach Beichte interessanterweise zurück. Die Einzelbeichte im Beichtstuhl ist heute praktisch gestorben. Wer noch kommt, sucht das Gespräch oder hat psychische Probleme. Ich sah diese Entwicklung und war einer der ersten in der Schweiz, der Bussfeiern mit der Generalabsolution durchführte und Modelle für Bussmessen ausarbeite.

Von offizieller Seite heisst es doch, solche Bussfeiern mit Absolution ohne persönliches Bekenntnis seien nicht erlaubt.

Für die Absolution muss eine starre Form eingehalten werden, Einzelbeichte, Beichtstuhl, Beichtzimmer, sonst gilt sie nicht. Das ist ein Machtproblem mit einer gewissen Tragik. Theologisch sehe ich keine Schwierigkeit darin, dass mit einer Buss- und Beichtfeier die volle sakramentale Lossprechung erteilt wird. Ich glaube, dass Einzelbeichte und «Gemeindebeichte» sich in wertvoller Weise ergänzen können. Wir sollten beides pflegen, jedes zeigt einen besonderen Aspekt der gleichen Sache. Dass wir Sünder und eine Gemeinde von Sündern sind, dass wir in der Sünde an Gott und am Bruder schuldig werden. Und warum sollten wir demjenigen, der nun einmal den Weg zur Einzelbeichte nicht mehr oder noch nicht finden kann, hier nicht eine echte Möglichkeit schenken, den Weg zur Versöhnung mit der Kirche und damit zum Abendmahl wieder zu gehen? Sicher kann in einer Bussfeier echteste Bussgesinnung oft leichter und besser geschenkt werden als in der Einzelbeichte, wo oft alles von der psychischen Angst vor dem Bekenntnis überschattet ist. Mein Wunsch geht dahin, dass uns die Kirche die sakramentale Buss- und Beichtfeier in der Form eines Gemeindegottesdienstes als Normalfall wieder schenkt und damit die Beichtliturgie aus ihrer fatalen und individualistischen Enge wieder herausfindet. Was eine solche Beichtfeier für die Kinder bedeuten könnte, sei nur am Rande vermerkt. Sie sollte auf Jahre hinaus der Einzelbeichte des Kindes vorausgehen und wäre eine herrliche Einübung. Die Aufgabe der Kirche kann nicht darin bestehen, einzelne geschichtlich gewachsene Buss- und Beichtformen – koste es, was es wolle – in die Zukunft hinüberzuretten. Die Aufgabe der Kirche besteht darin, dem heutigen Menschen Jesu Aufruf zur Umkehr, zur echten Lebensveränderung so zu vermitteln, dass er ihn wirklich verstehen kann. Dazu werden bestimmte Bussformen immer wieder notwendig sein. Sie sind aber veränderlich und haben sich, weil es nur äussere Formen, nur die Gefässe für einen sicher sehr kostbaren Inhalt sind, dem Menschen und seiner Geschichte, seinem Lebensgefühl und seinen Bedürfnissen anzupassen. Denn sakramentale Zeichen sind nicht Selbstzweck, sondern haben dem erlösungsbedürftigen Menschen zu dienen und zwar dem Menschen, so wie er nun gerade heute lebt und glaubt, sündigt und der Verzeihung bedarf. Dabei wissen wir: Gott ist es, der allein Sünden verzeiht. Das haben schon die Schriftgelehrten zu Zeit Jesu genau gewusst: «Wer kann Sünden vergeben ausser Gott?» (Markus 2,7b)

Sie plädieren somit für eine Formvielfalt, damit jeder ein Angebot nach seinen Bedürfnissen finden kann?

Max Frisch sagte, das Aussprechen der Schuld sei der Weg der Versöhnung. Das Verbalisieren gehört zur Verarbeitung von Schuld. Deshalb hat die Einzelbeichte eine gute Seite, nämlich das Sakrament der Versöhnung. Die öffentliche Buss- und Beichtfeier sollte die Einzelbeichte nicht ersetzen oder verdrängen. Sie soll sie ergänzen, zu ihr hinführen. Die Schweizer Synode 72 hat das damals auch so gesehen. Ich zitiere: «[...] viele Christen [empfinden] zu Recht die Bussfeier als das geeignete und den tatsächlichen Verhältnissen angepasste Mittel zur Vergebung alltäglicher Schuld. Die Ausschliesslichkeit der Einzelbeichte soll so durchbrochen werden.»[6]

Historisch gesehen hat die Beichte eine komplexe Entwicklung hinter sich. Das weckt wenig Vertrauen, dass die heute gültige Form nun die einzige wahre sein solle.

Wenn die Geschichte der Beichte nicht Tatsache wäre, würden wir sie nicht für möglich halten, meinte Karl Rahner. Es gibt kein Sakrament, das eine so wechselhafte Geschichte hat wie die Beichte. Wir sind uns wohl alle klar darüber: Der heilige Josef hat sicher keine Beichtstühle gezimmert. Der erste Beichtstuhl erscheint erst im Jahr 1515 und wird erwähnt an einem Diözesankonzil in Sevilla. Es gab viele Jahrhunderte ohne die Andachtsbeichte, d. h. die Beichte so genannter lässlicher Sünden. In der Urgemeinde der ersten Jahrzehnte galt die Taufe als das Sakrament der Sündenvergebung. Mit schwerer Schuld rechnete man bei den ersten Christen, die Paulus als die Heiligen anredete, noch nicht. Sonst galt der Grundsatz aus dem Jakobusbrief: «Bekennt einander also die Sünden und betet füreinander, damit ihr geheilt werdet.» (Jakobus 5,16) Doch mit dem Einströmen der grossen Massen in die Kirche nach der konstantinischen Ära wurde man zu einer Kirchenzucht fast gezwungen, und es kam zu einer eigenen Bussliturgie, zur grossen öffentlichen Busse. Man konnte sie nur einmal im Leben auf sich nehmen und hat sie deshalb gerne bis zum Lebensende hinausgezögert.

Die Beichte in dieser Form wurde so zum Sterbesakrament. Ich möchte hier einen Bericht aus dem 4. Jahrhundert zur Dokumentierung zitieren. Der Bericht stammt vom spätantiken Kirchenhistoriker Salamanes Hermeias Sozomenos: «In Rom gibt es einen abgrenzenden Raum für diejenigen, die sich in der Busse befinden. Dort halten sie sich in Scham und Tränen auf und werfen sich gegen Ende der Liturgie, an der sie teilzunehmen kein Recht haben, mit Klagen und Seufzen zu Boden, während das Volk in der Kirche gleicherweise in Klagen ausbricht. Dann erhebt sich der Bischof und heisst auch die Büsser sich wieder aufzurichten, und nachdem er über die Sünder das verordnete Gebet gesprochen hat, schickt er sie. Ein jeder von ihnen kasteit sich nun durch Fasten, Entzug von Bädern, durch Askese oder alle andern Werke, die ihm auferlegt worden sind, und zwar so lange, wie der Bischof es ihm vorgeschrieben hat. An dem festgesetzten Tag, wenn der Büsser seine Strafe erfüllt hat, wird er von seiner Sünde gelöst und kehrt in die Gemeinschaft der Gläubigen zurück. So gehen die Bischöfe von Rom von Anfang an bis zum heutigen Tag vor.»[7]

Im Altertum gab es also nur die grosse, öffentliche, einmalige Kirchenbusse für schwere Schuld, für die drei *peccata capitalia* (Todsünden): Götzendienst, Ehebruch und Mord. Im Mittelalter kam die wiederholbare Privatbeichte auf, ein Verdienst der irisch-angelsächsischen Kirche. In der Neuzeit hat sich die Beichtform des späteren Mittelalters nicht mehr viel verändert. Die Beichttheologie fand im Konzil von Trient im 16. Jahrhundert einen vorläufigen Abschluss. Dieses Konzil bestimmt auch, dass alle schweren Sünden nach Umständen und Zahl in der Einzelbeichte zu bekennen sind. Durch die starke Kampfstellung gegen die Reformation trat im Beichtvorgang die priesterliche Absolution, die Lossprechung durch den geweihten Priester, immer stärker in den Vordergrund. Die Absolutionsvollmacht wurde geradezu zum Kennzeichen des katholischen Priesters.

Aktuell schlägt wieder Wellen, dass die Wiederheirat Geschiedener unverzeihbar sein soll.

Von Jesus her ist die Frage der Scheidung nicht so einfach zu beantworten. Sie bleibt von der Bibel her irgendwie offen. Es gibt in der Bibel vier zentrale Punkte: Die volle Bedeutung der Ehe erfasst nur, wer weiss, dass die Ehe im Willen des Schöpfers verankert ist. Zweitens, Gott stiftet die Lebensordnung der Ehe aus Liebe zum Menschen. Sie soll ihm eine Hilfe sein. Drittens, die Ehe ist von Gott her unauflöslich. Die Ehescheidung widerspricht somit der Bestimmung der Ehe, wie sie das Evangelium versteht. Doch jetzt kommt die entscheidende Frage: Kann diese Unauflöslichkeit der christlichen Ehe zu einem allgemeinen starren und harten Gesetz gemacht werden, oder bedeutet das nicht vielmehr ein Zielgebot, ein zu erstrebendes Ideal? Aus zwei Gründen scheint mir das nahezuliegen. Die Forderung der Unauflöslichkeit steht bei Matthäus in der Bergpredigt. Entsprechend dem Gesamtverständnis der Bergpredigt geht es hier gerade nicht um Gesetzlichkeit, sondern um ein zu erstrebendes Ziel. Der zweite Grund: Die hinter Matthäus stehenden Gemeinden kennen eine mildere Praxis. Eheliche Untreue gilt als Ausnahme von der Regel. Auch Paulus statuiert eine Ausnahme für Mischehen. Weiter wäre zu bedenken, dass die aus dem Glauben wachsende Kraft zur unauflöslichen Treue ein Geschenk ist und nicht erzwingbare Forderung an alle, die sich Christen nennen. Für viele bleibt die geforderte Unauflöslichkeit eine Theorie. Zu recht kann man sagen, «was Gott verbunden hat, darf der Mensch nicht mehr trennen». Aber hat Gott wirklich all die vielen Ehen verbunden, die da landauf und landab in der Kirche geschlossen werden? Ich frage mich, ob es für wiederverheiratete Geschiedene keine Möglichkeit eines Neuanfangs geben soll. Ob die kirchliche Disziplin wirklich dem Willen Jesu entspricht. Spricht hier der Geist des Evangeliums? Wohl eher der unselige Geist starrer Gesetzlichkeit. Aber zurück zur Beichte. Eine Grundaussage und ein Grundanliegen der neutestamentlichen Schriften lautet: Jesus Christus ist in die Welt gekommen, um die Sünde zu überwinden. «[…] er wird sein Volk von seinen Sünden erlösen» (Matthäus 1,21). Und beim Abendmahl: «Trinket alle daraus, denn dies ist mein Blut, das Blut des Bundes, vergossen für viele zur Vergebung der Sünden.» (Matthäus 26,27 f.) Es geht im Leben Jesu immer und immer wieder um die Sündenvergebung. Die göttliche Vergebungsbereitschaft kennt keine Grenzen: das Gleichnis vom verlorenen Schaf, das Gleichnis von der verlorenen Drachme, das Gleichnis vom verlorenen Sohn – die Grundaussage des Lukasevangeliums überhaupt. Auch Paulus redet vom sühnenden und sündentilgenden Tod Jesu. Die Kirche ist deshalb nicht nur Liebesgemeinschaft und Eucharistiegemeinschaft, sie ist auch immer eine Vergebungsgemeinschaft. Gott vergibt, weil wir einander vergeben. In der von Christus begründeten Vergebungsgemeinschaft sollen alle Glieder einander verzeihen. Hier wird das allgemeine Priestertum aktuell: Die ganze Jüngerschaft ist, wie zur Taufe und Eucharistiefeier, so auch zur Vergebung der Sünden ermächtigt. Erst wenn wir uns vergeben haben, vergibt uns Gott.

Was verstehen Sie nach Ihrem langen Leben unter Sünde?

Jede Sünde ist eine Tat der menschlichen Freiheit. Das ist die personale Seite der Sünde, der Entscheidungscharakter. Am Mass der Freiheit entscheidet sich das Mass der Schuld. An der Tiefe der getroffenen Entscheidung entscheidet sich die Schwere der Sünde. Todsünde im eigentlichen Sinn verlangt den Totalentscheid des ganzen Menschen, das volle und ungeteilte Engagement des Herzens. Das ist bei einem sonst gutwilligen Menschen nicht leicht anzunehmen. Begrenzte Freiheit bedeutet auch begrenzte Schuld. Wir kennen das aus der Gerichtspraxis. Totale Freiheit ist unter Menschen selten. Vielfältig sind die Umstände, innere und äussere, die Freiheit einengen und beschränken. Wer von uns verfügt schon völlig frei über sich selbst? In vielem sind wir und bleiben wir unreif unvollendet, Kinder. Wir sind vielfältig belastet. Unsere Leidenschaften und Vergangenheit spielen uns einen Streich. Zweitens: Jede Sünde ist auch eine soziale Tat. Ich sündige gegen jemanden. «Keiner lebt für sich selbst, und keiner sündigt für sich selbst», sagte Karl Rahner in Anlehnung an Römer 14,7. Ich werde schuldig am Mitmenschen, an der Gemeinschaft, an meinen Kindern, an der Familie, an der Kirche. Die Kinder büssen für die Sünden der Väter. Schuld wird auch vererbt und weitergegeben und ist etwas Tragisches: Schuld schafft Leid – kein zürnender Gott, der Strafen zudiktiert, sondern die Strafe, die Leid schafft und sich aus der Sünde selbst entwickelt. Schuld entlädt aus sich Strafe und Leid, und zwar so, dass auch Unschuldige daran zu tragen haben. Drittens: Die Sünde ist oft eine materielle Tat. Das heisst, durch die Sünde geschieht etwas. Es geht um den Schadencharakter der Sünde. Sehr oft entsteht durch die Sünde ein greifbarer Schaden, für den ich einzustehen, den ich nach Möglichkeit wiedergutzumachen habe. Mein Fazit lautet: Wir müssen lernen, mit der Sünde zu leben. Absolut vollkommenes und sündloses Leben ist uns hier auf dieser Erde noch nicht geschenkt. Wir müssen unsere eigenen Schatten annehmen und damit zurechtkommen. «Lieben muss der Mensch, schuldlos lieben kann er nicht», schrieb ein Dichter, dessen Namen mir nicht mehr einfällt. Wir sind immer gerecht und sündig zugleich (Martin Luther). Ziel und Aufgabe unseres Lebens sind nicht totale Sündlosigkeit, sondern immer auf dem Weg dorthin zu sein. Nicht Verdrängung, sondern Integration, nicht Tugendstolz, sondern schlichte Demut. Wir müssen lernen, uns selbst und die andern zu ertragen.

Eine grosse Aufgabe für einen jungen Mann. Wie reagierten damals die Menschen in den Gemeinden auf Sie als Neupriester?

Nach meiner ersten Predigt im Seminar, Korinther 15, die gut ankam, predigte ich auch auswärts. Damals habe ich gespürt, dass dies meine Stärke war. Mir hat es Freude gemacht, in die Gemeinden zu gehen. Ich glaube, das war für beide Teile positiv.

Wie gingen Sie damit um, in so jungen Jahren auf einen Schlag eine so genannte Respektsperson zu sein?

Die Gefahr, damit falsch umzugehen, war bei mir klein. Ich war ein ängstlicher Mensch, das ist eigentlich heute noch so. Durch diese Ängstlichkeit war ich bescheiden. Ich hatte Angst, bei den Menschen nicht anzukommen.

Das Jahr als Priester im Seminar schien somit schnell und leicht verstrichen zu sein.

Es war ereignisvoll und schön – die Priester lebten ja damals im Seminar und führten ihre Praktika in einer Gemeinde aus. Heute ist es umgekehrt. Die Priester leben in der Gemeinde und gehen zur Supervision ins Seminar. Dann erhielt ich von Bischof Christian Caminada eine von Hand geschriebene Karte: «Lieber Herr Neupriester, ich habe Sie zum Vikar von Liebfrauen in Zürich bestimmt. Bitte melden Sie sich beim Pfarrer Matt. Er ist orientiert.

Liebfrauenkirche in Zürich

Er wird ein ganz guter Chef sein. Ich wünsche Ihnen alles Gute. Mit bischöflichem Segen, Bischof Caminada.» So einfach ging das damals. Caminada war ein liebevoller und interessanter Mensch, der sich dabei schon etwas überlegt hatte. Heute finden für eine Stellenbesetzung komplexe Abklärungen und Gespräche unter Beizug eines Psychologen statt. Damals war es noch schwierig, für alle 14 Priester eine Stelle zu finden. Nicht die Priester fehlten, sondern die Stellen.

In die Gemeinde zu gehen, an die Front, mit der Not der Menschen konfrontiert zu sein, war für mich eine freudige Aufgabe.

III Vikar in Liebfrauen: Vom Bekenntnis-Glauben zum Begegnungs-Glauben

Sie haben dann in einem katholischen Quartier im Zürcher Kreis 6, dem Quartier Unterstrass, Ihre erste Stelle angetreten.

Ich war ganz stolz, in Liebfrauen wirken zu können. Das war die Zürcher Pfarrei schlechthin. Damals umfasste Gemeinde fast 10 000 Mitglieder. Und die Liebfrauenkirche, ein markantes Bauwerk im Stil einer altchristlichen Basilika, ist bis heute das grösste katholische Gotteshaus in Zürich. Initiiert wurde sie 1891 von Pfarrer Ferdinand Matt, dem Onkel meines damaligen Chefs, der ebenfalls Ferdinand Matt hiess. Wenn Zürich ein Bistum geworden wäre, wäre Liebfrauen die Kathedrale des Bischofs geworden.

Erzählen Sie bitte von Ihrer Arbeit in Liebfrauen.

Wir waren vier Vikare unter Pfarrer Matt. Damals gab es keine Aufgabenteilung. Die Vikare machten alles ausser dem Unterricht der Erstklässler. Jeder Vikar hatte acht Stunden Unterricht pro Woche, war für die Spitalseelsorge am Universitätsspital eingeteilt, machte Hausbesuche, hörte Beichten, las Messen. Es war eine strenge Zeit.

Liebfrauenkirche in Zürich

Im Spital arbeiten heute meist eigens dafür ausgebildete Theologinnen und Theologen. Wurden Sie damals schon auf die Spitalseelsorge vorbereitet?

Vikar Walter Nägeli nahm mich mit und erklärte mir, was zu tun war. In den Krankenzimmern standen damals 14 Betten. Als ich allein die Besuche abstattete, stellte ich mich in die Mitte des Saales, nahm allen Mut zusammen und fragte die Kranken, ob ich den Segen spenden dürfe. Ich war überfordert, und mir fiel nichts Besseres ein. Und offenbar spürten die Menschen, dass ich mit dem Segen ihnen beistehen wollte. Sie zeigten sich sofort einverstanden und waren dankbar. Das hat mich bestärkt.

Aber auch die Einführung in den Unterricht war ähnlich. Ich begleitete einen Vikar in die Schule und schaute zu, wie er die Stunde gestaltete. An der katholischen Mädchensekundarschule war ich neben den zwanzig Ordensschwestern aus Menzingen der einzige Mann und somit Hahn im Korb. Mein Vorgesetzter Pfarrer Matt erteilte deshalb der Oberin den Auftrag, genau zu überwachen, dass Zucht und Ordnung gewahrt blieben.

Wie haben Sie Zugang zu jungen Menschen gefunden?

Ich war an ihnen interessiert, stellte Fragen, wollte wissen, was sie dachten. Damals war ich ja auch noch sehr jung. Natürlich lief der Unterricht nicht so frei ab wie heute. Aber sie spürten, dass ich sie respektierte und mich für sie interessierte. Ich begann zu begreifen, wie wichtig die Begegnung ist. Mit der Vermittlung von Wissen allein war es nicht getan. Die jungen Menschen wollten mehr als nur Bekenntnissätze, sie suchten die emotionale Erfahrung. Diese Anfangserfahrung hat mich geprägt. Mir fällt es heute noch leicht, mit jungen Menschen in Kontakt zu treten. Das bereitet mir immer noch Freude.

Doch bereits nach einem Jahr Liebfrauen gingen Sie nach Rom.

Damals war für mich klar, dass ich noch eine Doktorarbeit schreiben wollte. Als 1948 in der Klinik Quisisana in Rom, damals von den Ingenbohler Schwestern geführt, die Stelle des Spirituals frei wurde, ergab sich diese Möglichkeit. Der Spiritual wurde immer mit einem Priester aus dem Bistum Chur besetzt. Mein Vorgesetzter Pfarrer Matt ermutigte mich, für zwei Jahre nach Rom zu gehen. Ich meldete mich bei Bischof Caminada und konnte gehen. Die Klinik

SACRA CONGREGATIO
DE SEMINARIIS
ET STUDIORUM UNIVERSITATIBUS

Roma, 20 ottobre 1948

PROT. NUM. 916/48/8

Eccellenza Reverendissima,

mi reco a premura di significare all'E.V.R.ma che questa Sacra Congregazione permette che,durante la sua permanenza in Roma per ragioni di studio, il Sacerdote B O M M E R G i u s e p p e, di cotesta Diocesi, dimori presso la Clinica "Quisisana" (via Porro, 5).

Con sensi di particolare ossequio mi professo

dell'E.V.R.ma

dev.mo in G.C.

Elcard. Pizzardo

A Sua Eccellenza Rev.ma
Mons. CRISTIANO CAMINADA
Vescovo di

C O I R A

C. Cicchetti, Sottosegr.

V.

Bewilligungsschreiben für den Dienst als Spiritual bei den Ingenbohler Schwestern an der Quisisana

bestand aus einer prächtigen Villa in einem wunderbaren Garten im Nobelviertel Parioli. Deshalb nannten viele die Klinik nicht Quisisana (hier heilt man), sondern Quisipaga (hier bezahlt man).[8] Ich lebte dort in zwei Zimmern mit einer schönen Terrasse, ass sehr gut, hatte also in dieser

Hinsicht ein komfortables Leben. Für meine Dissertation wählte ich die Dominikaner-Universität Angelicum, die offiziell päpstliche Universität Heiliger Thomas von Aquin heisst. Unterrichtet wurde neue Scholastik, eine konservative Richtung innerhalb der katholischen Philosophie, «Schultheologie» im wörtlichen Sinn, was wirklich langweilig war. Unterrichtssprache war Latein, was mir am Anfang sonderbar schien. Für mich kam nur diese Universiät in Frage, weil auch am Nachmittag Vorlesungen und Seminare stattfanden. Zudem durfte man auch fehlen, was bei mir ab und zu vorkam, da ich in der Klinik Spitalseelsorger war und auch Priester der Schwestern. Die Gregoriana, die Universität der Jesuiten, genoss ein höheres Ansehen, hatte aber einen Morgenbetrieb und kontrollierte die Anwesenheit der Studierenden. Deshalb konnte ich nicht die Gregoriana besuchen.

Trotz weniger Erfahrung und keiner Ausbildung mussten Sie als Spitalseelsorger auf Italienisch wirken. Wie kamen Sie damit zurecht?

Vor meiner Abfahrt nach Rom schickte mich Pfarrer Matt zu einer Italienerin in den Unterricht. In der Klink dann hatte es eine Patientin aus Sizilien, die schon seit Jahren ans Bett gefesselt war. Sie setzte den Italienischkurs fort, und relativ rasch konnte ich mich bereits gut arrangieren.

Die Klinik hatte einen international berühmten Onkologen, der viele terminale Patienten aus Süditalien anzog. Es gab somit viele Todesfälle, und die Familien wünschten jeweils, dass ich beim Sterben dabei war. Das hat mich

Clinica Quisisana, Rom, historische Aufnahme

sehr belastet und auch überfordert – nicht unbedingt nur sprachlich. Wenn der Tod eintraf, warfen sich die Verwandten zu Boden und waren völlig fassungslos. Ich konnte mit solchen Situationen schwer umgehen. Und ich war im Gegensatz zu Liebfrauen in dieser Klinik als Seelsorger allein. Ich musste stark sein und die andern in ihrer Schwäche trösten.

La dolce vita in Rom hatte also auch Kehrseiten?

Eindeutig. Hinzu kam die Einsamkeit, das Heimweh. An der päpstlichen Universität stellte sich auch die Frage nach Gott. Gott wurde zu einem wissenschaftlichen Gegenstand.

Die päpstliche Universität Angelicum in Rom

Es begann die rationale Auseinandersetzung. Bibelkritik wurde wichtig, ja, entscheidend. Ich lernte die Bibel als literarisches Kunstwerk kennen. Schriftsteller, nicht Historiker schufen dieses literarische Kunstwerk, und so entstand jenes grossartige Gemisch von Mythos, Legende und Geschichte. Mein Gottesglaube und mein Gottesbild wurden aufgeklärter.

Erhielten Sie hier auch die Impulse für das Thema Ihrer Dissertation?

Das Studium vertiefte eine andernorts gelegte Spur: Während meines Studiums im Churer Priesterseminar hatte ich über einen Kollegen den Jesuiten Hans Urs von Balthasar kennengelernt. Er hatte in Zürich, Berlin und Wien Germanistik und Philosophie studiert. Später studierte er in Lyon Theologie und wirkte ab 1940 in Basel als Studenten- und Akademikerseelsorger. Er war enorm gebildet und spielte hervorragend Klavier. Damals versammelte er einige Theologiestudenten um sich, zu denen auch Franz Böckle und Anton Cadotsch zählten. Ich konnte mich dieser Gruppe anschliessen. Von Balthasar veranstaltete mit uns Wochenenden zur Vertiefung theologischer Fragen. Obschon von Balthasar nie an einer Universität wirkte, ist er einer der bedeutendsten katholisch-theologischen Autoren des 20. Jahrhunderts geworden. Die ihm angebotene Professur in Tübingen lehnte er ab. Diesen Lehrstuhl übernahm stattdessen Hans Küng. Von Balthasar war zweifellos ein Vorbereiter des Zweiten Vatikanischen Konzils, wurde dann aber nicht als Berater eingeladen. Er schlug mir und meinem Freund Böckle ein Dissertationsthema aus dem Bereich des Thomismus vor. Er sagte uns, wir sollen untersuchen, ob und wie die Scholastik mit der Bibel verbunden werden könne.

HANS URS VON BALTHASAR (1905–1988)

Der in Luzern geborene Hans Urs von Balthasar gründete 1945 zusammen mit der Ärztin und Mysikerin Adrienne von Speyr das

Säkularinstitut der Johannesgemeinschaft. 1949 trat er aus der Gesellschaft Jesu aus. Er wirkt fortan an als Schriftsteller und Verleger. Papst Johannes Paul II. ernannte von Balthasar 1988 zum Kardinal, doch zwei Tage vor dem Empfang des Kardinalsbiretts verstarb er.

Die Bibliografie von Balthasars umfasst 119 Publikationen, sein Schaffen zählt zu den bedeutenden katholisch-theologischen Werken des 20. Jahrhunderts. Mit seinem Universalgeist gelang ihm eine Synthese von Philosophie, Theologie, Literatur, Kunst und Meditation. Zudem war er ein grosser Mozart-Kenner. Den Ruf als Professor für Fundamentaltheologie in Tübingen zu wirken, lehnte Balthasar 1960 ab.

Sein theologisches Werk schuf originelle Zusammenhänge und somit neue Perspektiven für Glaubensfragen. So ging Balthasar vom Primat des Sehens aus und entwickelte eine theologische Wahrnehmungslehre, die Offenbarung als Kunst Gottes darstellt. Ästhetik, Dramatik und Logik sind die Ankerpunkte seiner theologischen Neukonzeption – die auch Gegenreflexe provozierte. Von Balthasar zählt deshalb auch zu den Wegbereitern des Zweiten Vatikanischen Konzils, ohne selbst daran mitgewirkt zu haben.

Von Balthasar trug unzählige Annährungen an das Geheimnis Gott zusammen. Sein Ansatz war: Wer «die ‹Last der zweitausend Jahre kirchlicher Tradition› auf seine Schulter hebt, muss unfruchtbare Denksysteme nicht mittragen, sie sind ‹ganz gewiss wert, der tiefsten Vergessenheit anheim gegeben zu werden›»[9]. Aber auch

das, was bleibt, kann laut Balthasar nicht einfach übernommen werden. Denn die Kirche ist für ihn immer wieder im Anfang. «Jahrhunderte kannten das Bedürfnis nicht, gerade jene Fragen zu denken, die uns heute am brennendsten beunruhigen.»[10] Keine Wahrheit der Vergangenheit kann Antwort auf gegenwärtige Fragen sein. Die Wahrheit des Christentums vergleicht Balthasar deshalb mit dem biblischen Manna, das sich nicht speichern lasse, «es ist heute frisch, morgen faul»[11].
Das Werk von Balthasars lässt sich aber schwer einordnen, weil Begriffe wie progressiv/konvcrvativ oder thomistisch/modernistisch zu kurz greifen. Vorkonziliar galt er als progressiv («Schleifung der Bastionen», 1952), nachkonziliar fast als das Gegenteil («Cordula oder der Ernstfall», 1966). In seiner letzten Schaffensperiode entwickelte er eine christologisch ausgerichtete Theologie der drei Tage, aus der das Schlagwort der «leeren Hölle» bekannt ist und die er festmacht an dem Konzept einer nachtodlichen All versöhnungslehre.

Unbestritten ist aber, dass bei von Balthasar immer der Mensch in seiner Zeit im Mittelpunkt stand. Unter den neuen Bewegungen stand ihm deshalb die italienische «Comunione e Liberazione» nahe, auch wenn er dort wie bei der Schönstatt Bewegung und den Focolarini Gefahren einer gewissen Ideologie der Selbstverabsolutierung sah.

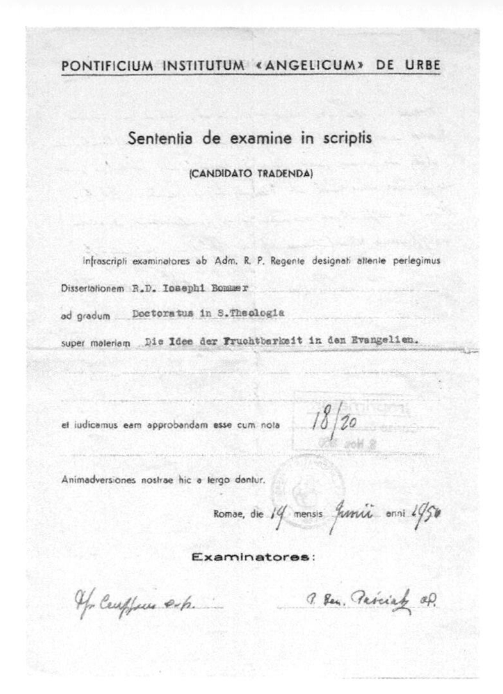

PONTIFICIUM INSTITUTUM «ANGELICUM» DE URBE

Sententia de examine in scriptis

(CANDIDATO TRADENDA)

Infrascripti examinatores ab Adm. R. P. Regente designati attente perlegimus

Dissertationem R.D. Iosephi Bommer

ad gradum Doctoratus in S.Theologia

super materiam Die Idee der Fruchtbarkeit in den Evangelien.

et iudicamus eam approbandam esse cum nota 18/20

Animadversiones nostrae hic a tergo dantur.

Romae, die 14 mensis Junii anni 1950

Examinatores:

Beurteilung der Dissertation

Wir bewegen uns damit in der Tiefe theologische Reflexion, die den meisten Menschen nichts sagt. Können Sie die theologischen Reflexionen bitte mit Leben füllen?

Die Neuscholastik ist von Anfang an durch den Vatikan gelenkt und gefördert worden. Die Philosophie des Thomas von Aquin wurde 1879 zur offiziellen Lehre der katholischen Kirche erklärt. Die Theologie wurde dadurch sehr begrifflastig und schwer verständlich. Genau die Frage nach der Verständlichkeit, die Sie jetzt stellen, war Teil meiner Aufgabe: Die Theologie war eine dem Hellenismus und der griechischen Philosophie stark verpflichtete

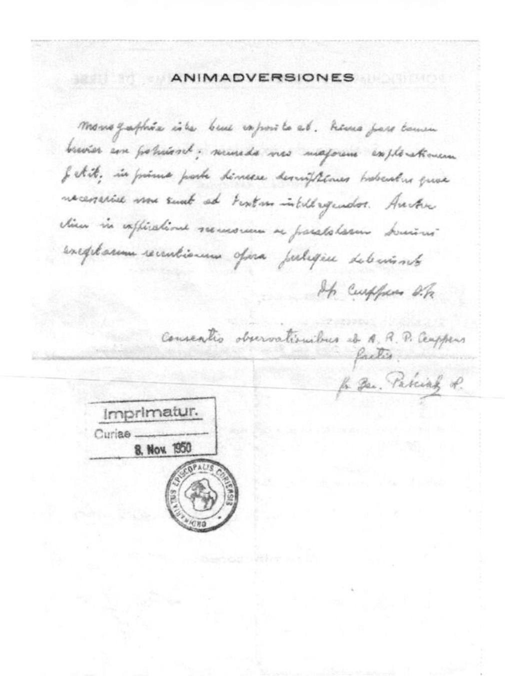
ANIMADVERSIONES

Monographia ista bene exposita est. Prima pars tamen brevior esse potuisset; secunda vero maiorem explicationem petit; in prima parte diversae descriptiones habentur quae necessariae non sunt ad textum intelligendum. Auctor etiam in explicatione seminum et parabolarum [illegible] [illegible] recentiorum opera perlegere debuisset.

[illegible] Ceuppens O.P.

Consentio observationibus a A. R. P. Ceuppens factis.

fr. [illegible]

Imprimatur.
Curiae ______
8. Nov. 1950

ORDINARIATUS EPISCOPALIS CURIENSIS

Anmerkungen der Prüfer zur Dissertation

Schultheologie, die sich im Thomismus (der theologischen Methode, die auf Thomas von Aquin und das 12. Jahrhundert zurückgeht) niederschlug. Sie sollte wieder die Nähe zur Bibel und zur biblischen Sprache finden. Das war das Ziel. Es ging somit um eine neue Perspektive, um eine biblische Perspektive. Also um eine biblische Theologie, um die Sprache der Bilder vorab. Das sollte nachgewiesen werden an einem tragenden Begriff der Gnadenlehre, das Verdienst, Meritum, die guten Werke. Es ging um das Geheimnis der übernatürlichen Fruchtbarkeit der Seele, die vom Samen Gottes erweckt, zur Reife und Vollendung führt.

So dann der Titel meiner Arbeit: «Die Idee der Fruchtbarkeit in den Evangelien». Mein Freund Franz Böckle schrieb dann die Fortsetzung: «Die Fruchtbarkeit in den Paulusbriefen». Markus hat das so formuliert: «Die Saat geht auf und wächst, der Bauer weiss nicht wie. Von selbst trägt die Erde Frucht, erst Halme, dann Ähren, zuletzt volles Korn in der Ähre» (Markus 4,26). Mein Doktorvater, ein Professor aus Belgien, fand diese neue Perspektive interessant.

Und die Lebensrelevanz darin?

In der Idee des christlichen Lebens geht es um zwei Grundtatsachen. Um das Sein in Christus und um die Entscheidung für Christus. In ihrem Zusammenwirken bringen sie das christliche Leben und seine Fruchtbarkeit hervor. Das eine ist vor allem Tun Gottes, das andere ist Tun des Menschen; die Früchte des christlichen Lebens sind Früchte des Menschen *und* Früchte Gottes. In der Gemeinschaft des Reiches Gottes einerseits und in der Einsamkeit der persönlichen Entscheidung anderseits vollzieht sich unser Leben. Es ist hingestellt in die Spannung von Individuum und Gemeinschaft. Es ist Wachstum und Entscheidung, statisches Sein und dynamische Tätigkeit.

Die Dissertation musste ich in Lateinisch verteidigen, was mir recht gut gelang. Aber ich war damals in Rom mit vielen Eindrücken beschäftigt und hatte nicht nur die Dissertation im Blick. Rom ist eine wunderbare Stadt, die schönste für mich, allerdings war sie zu jener Zeit bettelarm. Wenn der Bischof von Chur nach Rom

Maximilianum in Zürich

kam, logierte er jeweils im Quisisana. Ich durfte ihn in den Vatikan begleiten und Papst Pius XII. begegnen. Er war der letzte richtige Aristokrat mit einer starken Ausstrahlung. Ich war zu jener Zeit päpstlich wie später nie mehr. Ich besuchte alle Anlässe des Papstes, für die ich Tickets erhielt.

Mit dem Doktorhut auf und viel Rom-Erfahrung im Kopf kehrten sie nach Liebfrauen zurück. Erschien Ihnen nach Rom die Welt in Zürich eng?

Nein, ich kehrte gerne nach Liebfrauen zurück. Trotz aller Schönheit von Rom hatte ich starkes Heimweh. Mir machte es Freude, wieder zu unterrichten. Da mein Kollege Eugen Egloff Pfarrer von St. Martin in Zürich wurde, fragte mich der Bischof, ob ich den Unterricht an den Mittelschulen übernehmen wolle. Das machte ich gerne. Ich zog ins Maximilianum und kam zu 18 Stunden Unterricht an der Kantonsschule, am Lehrerseminar, der Sekundar- und Handelsschule. Bald stellte ich fest, dass die Schüler mehr brauchten als nur Wissen. Wissen ist wichtig, aber nicht das Einzige. Die Jugendlichen brauchten einen Glauben, der auf Begegnung basierte, nicht einen Glauben durch Bekenntnis. Jesus hat immer aus der Begegnung den Glauben gefordert.

Einen emotionalen statt eines rationalen Zugangs?.

Glaube und glauben kann auf zwei grundsätzlich verschiedenen, wenn auch miteinander verwandten Ebenen angesiedelt werden. Der Bekenntnisglaube ist der Dass-Glaube. Da werden Inhalte geglaubt. Da geht es um ein rationales Gebäude von Glaubenslehren. Es werden Glaubenssätze memorisiert. Da zeichnet sich Glaube in bestimmten, oft nach Konfessionen und Religionen verschiedenen Bekenntnissen aus, eben in Glaubensbekenntnissen. Der Glaube ist dann objektiviert, stellt sich in

Worten, in Dogmen dar und erstarrt leicht zu einem Glaubenssystem. Man redet dann vom «rechten Glauben» und baut auf Rechtgläubigkeit, auf Orthodoxie. Solcher Glaube ist der Glaubenswissenschaft, der Theologie, eng verbunden und prägt unseren Katechismus.

Aber dieser Dass-Glaube steckt heute in der Krise.

Weil der Lebenswert, der Lebensbezug fehlt. Zudem hat die Frage der Rechtgläubigkeit, der Orthodoxie, in der Geschichte der verschiedenen Kirchen blutige Spuren hinterlassen. Beim Begegnungsglauben stehen hingegen nicht Glaubenssätze im Vordergrund, sondern persönliche Begegnungen. Und damit erfolgt ein Schritt weg vom Katechismus hin zur Bibel, zu den biblischen Geschichten. Glaubensgeschichten sind in der Bibel meistens Begegnungsgeschichten. Die Bibel versteht unter Glauben primär ein existenzielles Vertrauen und dann zahlreiche Wunderzählungen im Leben Jesu. Das ist kein Für-wahr-Halten, richtet sich nicht auf einen lehrhaften Sachverhalt aus, sondern wird im Sinn personaler Getragenheit verstanden. Dieser Glaube macht selig und heilt. Ich glaube und vertraue jemandem. Glaube hat dann nicht zuerst den Sitz im Kopf, sondern im Herzen. Glaube wird zur Hingabe, zum unverbrüchlichen Vertrauen und paart sich mit der Hoffnung und mit der Liebe. Nicht ein äusserliches Lehramt ist dann wichtig, sondern die innere Erfahrung. Dann haben der Glaube und das Glauben noch eine Chance. Dann stehen nicht Bücher im Vordergrund, am allerwenigsten ein trockner, lebensfremder Katechismus. Sondern Menschen und vor allem die Gestalt Jesu, als Mitte und Schwerpunkt eines christlichen Glaubens. Glauben wird so zur Begegnung mit Christus. Glaube muss dann nicht stur und rechthaberisch verteidigt werden, sondern vor allem bezeugt werden. Nicht Rechtgläubigkeit steht dann im Vordergrund, sondern Glaubwürdigkeit.

Ist das der Grund, weshalb Sie den Mittelschulunterricht in eine Mittelschulseelsorge ausbauten?

Ich wollte für die Mittelschüler ein Haus der Begegnung. Die Metzgerei Niedermann stellte uns ein Haus im Augustinerhof kostenlos zur Verfügung. Das war ein Glücksfall. Die Schüler konnten dort zu Mittag essen, ihre Hausaufgaben erledigen, studieren und sich unterhalten. Das Haus wurde sehr beliebt, manchmal war es randvoll. Es kamen Vorträge und Lesungen hinzu, Messen fanden statt, und so entstand für die Jugendlichen ein wichtiger Treffpunkt. Später boten wir alle drei Jahre ein Reise nach Rom an. Da mussten jeweils Wagen gebucht werden, weil wir über 100 Anmeldungen hatten. Die Romreise verbanden wir später mit einem Abstecher nach Asissi. Bei den ersten Rombesuchen stand noch der Vatikan im Mittelpunkt. Doch in den Folgereisen nahm das Interesse am Vatikan immer mehr ab. Die Jugendlichen wurden kritischer. Es kamen später auch Ausflüge nach Konstanz und zur Burg Rothenfels hinzu, wo Romano Guardini eine Akademie auf die Beine stellen wollte, die später mit der Katholischen Akademie in Bayern Form annahm. Ich staune heute, wie mutig wir damals waren. Vielleicht hing das mit dem Bewegungsglauben der Jugendlichen zusammen, die etwas erfahren und erlebt haben, für die der Glaube wahr wurde. Für mich als Priester wurde in diesen Jahren klar, dass man das Gottesbild nur durch Menschlichkeit und Herzlichkeit prägen kann.

Das klingt nach Aufbruchsstimmung, die wahrscheinlich auch den vorkonziliaren Geist spiegelte.

Die neue Form von Gottesdienst hat die Jugendlichen sehr motiviert, und als sie Norm wurde, profitierte die katholische Kirche davon. Sie fand positiv in den Medien statt, die Klöster hatten Nachwuchs und die Zahl der Kirchenbesucher nahmen zu. Von diesem Geist ist leider viel verloren gegangen.

Mit vorkonziliar meinen Sie die Zeit der liturgischen Erneuerung, die zweite Hälfte der 1950er Jahre. Als Papst Johannes XXIII. am 25. Januar 1959 ein neues Konzil, das Zweite Vatikanische, ankündigte,[12] schien dies den einen wie die Fortsetzung dieser Aufbruchsstimmung, die anderen hatten Angst vor restaurativen, quasi neogegenreformatorischen kirchlichen Reaktionen. Erinnern Sie sich noch daran, wie Ihre Reaktion auf die Ankündigung des Zweiten Vatikanischen Konzils war?

Ich war freudig überrascht, denn ich hatte nicht so schnell ein Konzil erwartet. Aber es kam auch nicht aus heiterem Himmel. Denn Karl Rahner und Romano Guardini hatten das Terrain geistig vorbereitet. Ein Konzil lag irgendwie in der Luft, aber überraschte dann doch, als es plötzlich angekündigt wurde. Die Ankündigung hatte in meinem Umfeld neuen Schwung ausgelöst, was mich sehr freute.

ZWEITES VATIKANISCHES KONZIL

Das Zweite Vatikanische Konzil wurde von Papst Johannes XXIII. zur pastoralen und ökumenischen Erneuerung auf Oktober 1962 einberufen und dauerte bis zum Dezember 1965. Nach dem Tode von Papst Johannes XXIII. am 3. Juni 1963 hat Papst Paul VI. das Konzil fortgesetzt. Es kann als Pastoralkonzil bezeichnet werden, weil die Pastoraltheologie aufgewertet wurde. Ausgangspunkt des Konzils waren die Sorgen und Nöte der Menschen und die Situation der Welt. Dabei galt es «die Zeichen der Zeit» zu erforschen. Die Welt sollte in allen Aspekten erfasst werden. Unter dem Motto *aggiornamento*, wie Papst Johannes XXIII. das Konzil überschrieben hatte, sollte es darum gehen, die katholische Kirche anschlussfähig zu machen für die Herausforderungen der Moderne: «Im Glauben daran, dass es vom Geist des Herrn geführt wird, der den Erdkreis erfüllt, bemüht sich das Volk Gottes, in den Ereignissen, Bedürfnissen und Wünschen, die es zusammen mit den übrigen Menschen unserer Zeit teilt, zu unterscheiden, was darin wahre Zeichen der Gegenwart oder der Absicht Gottes sind.» (Pastoralkonstitution «Die Kirche in der Welt von heute *Gaudium et spes*» vom 7. Dezember 1965)

Nach dem Pastoraltheologen Rolf Zerfass hat das Konzil die Aufgaben der Kirche vom «menschlichen Schaffen in der Welt» und von «dem Gemeinschaftscharkter der menschlichen Berufung» her definiert. Das habe für die ganze Kirche eine neue Sicht der Pastoral ermöglicht.

Aus den Dokumenten lassen sich zwei Kirchenbegriffe ableiten: Den der *Volkskirche* als neue Form, eine Kirch von unten nach oben und den *der hierarchischen Amtskirche, der Kirche von oben nach unten* (z. B. in der Dogmatischen Konstitution «Über die Kirche *Lumen Gentium*» Nr. 18). Das ist die Konsequenz von vielen Kompromissen, so dass sich die einzelnen Dokumente gegenseitig neutralisieren. Deshalb können sich heute progressive Kräfte ebenso wie konservative Bewahrer auf den «Geist des Konzils» berufen. In der Liturgie überwiegt jedoch der progressive Aspekt des Konzils: Die Messe wird seither zu den Gläubigen gerichtet in deren Sprache gelesen, die Handkommunion ist normal.

Wenige Jahre nach Beendigung des Konzils zeigte sich Papst Paul VI. irritiert, dass das Konzil entgegen aller Hoffnungen zu einer Stagnation geführte hatte. Er sprach von einem «Rauch Satans im Tempel Gottes, um die Früchte des Konzils zu verderben». Dabei zielte er auf die Traditionalistenbewegung um Bischof Marcel Lefebvre, der sich vor allem gegen die neue Liturgieform stellte. Das führte zu einer nachkonziliaren Krise, die bis in die 80er Jahre dauerte.

Heute wird das Konzil als Impuls zum Aufbruch gesehen, der in vielen Punkten verpufft ist. Je nach Ausrichtung, progressiv oder traditionalistisch, findet eine Ausblendung der unliebsamen Postulate statt.

Die Pastoraltheologie ist übrigens oft als eine Krisenwissenschaft apostrophiert worden. Geboren aus einer Krise, aus den epochalen Veränderungen, die das Verhältnis von Gesellschaft, Staat und Christentum um 1800 erschütterten, muss die Pastoraltheologie laut dem Pastoraltheologen Walter Fürst immer wieder den gefährdeten gesellschaftlichen Praxisbezug des Christentums den Zeichen der Zeit entsprechend neu organisieren.

EINE CHRONOLOGIE DES ZWEITEN VATIKANISCHEN KONZILS

25.1.1959 Johannes XXIII. kündigt ein Ökumenisches Konzil an.

11.10.1962–8.12.1962 Erste Sitzungsperiode

3.6.1963 Unterbrechung des Konzils durch den Tod Johannes' XXIII.

27.6.1963 Wiedereinberufung des Konzils durch Paul VI.

29.9.1963–4.12.1963 Zweite Sitzungsperiode. Veröffentlichung der Konstitution über die heilige Liturgie «Sacrosanctum Concilium» und des Dekrets über die sozialen Kommunikationsmittel «Inter mirifica».

14.9.1964–21.11.1964 Dritte Sitzungsperiode. Veröffentlichung der Dogmatischen Konstitution über die Kirche «Lumen Gentium», der Dekrete über die katholischen Ostkirchen «Orientalium Ecclesiarum» und über den Ökumenismus «Unitatis redintegratio».

14.9.1965–8.12.1965 Vierte Sitzungsperiode. Am 28.10.1965 Veröffentlichung der Dekrete über die Hirtenaufgabe der Bischöfe in der Kirche «Christus Dominus», über die Ausbildung der Priester «Optatam totius», über die zeitgemässe Erneuerung des Ordenslebens «Perfectae caritatis» sowie der Erklärungen über die christliche Erziehung «Gravissimum educationis» und über das Verhältnis der Kirche zu den nichtchristlichen Religionen «Nostra aetate». Am 18.11.1965 Veröffentlichung der Dogmatischen Konstitution über die göttliche Offenbarung «Dei Verbum» und des Dekrets über das Apostolat der Laien «Apostolicam actuositatem». Am 7.12.1965 Veröffentlichung der Pastoralen Konstitution über die Kirche in der Welt dieser Zeit «Gaudium et spes», der Dekrete über Dienst und Leben der Priester «Presbyterorum ordinis» sowie über die Missionstätigkeit der Kirche «Ad gentes» und der Erklärung über die Religionsfreiheit «Dignitatis humanae».

IV Pfarrer in St. Martin: Aufbruch zu neuen Ufern

1961, also noch vor dem Konzil, wurden Sie Pfarrer in der kleinen Zürcher Gemeinde St. Martin.

St. Martin ist eine Gründung von Liebfrauen. Der erste Pfarrer, Maximilian Lanfranconi, war Vikar in Liebfrauen. Der zweite Pfarrer war mein ehemaliger Kollege in Liebfrauen, Eugen Egloff. Da wurde bekannt, dass Pfarrer Egloff in die Zürcher Pfarrei Felix und Regula wechseln würde. Die Bischöfe fanden damals, dass man nach 15 Jahren in einer Pfarrei wechseln sollte. Und ich hatte 15 Jahre in Liebfrauen hinter mir. Zudem zeichneten sich Ermüdungserscheinungen ab, denn die Arbeit mit den Jugendlichen war anstrengend. Die Stelle von St. Martin wurde ausgeschrieben, worauf ich mich bewarb. Damals gab es noch Konkurrenz! Ich erhielt die Stelle, und die Tradition, dass ein Vikar aus Liebfrauen das Pfarramt in St. Martin übernimmt, setzte sich fort.

Wie war der Schritt zum Pfarrer und somit zum Gemeindeleiter, wo Sie auf einen Schlag mit einer Vielzahl von Ansprüchen konfrontiert waren?

Grossartig! Ich hatte die ideale Gemeinde gefunden.

Kirche St. Martin, Zürich

St. Martin war in bester Verfassung, ganz auf das Konzil ausgerichtet. Die Aufbruchsstimmung war klar spürbar. Die Leute kamen in die Messen, jeden Mittwoch hatten wir einen Bibelabend, und einmal im Monat fand einen Herrenabend statt. Den hatte Pfarrer Egloff eingeführt. Er fand, man müsse den Reichen in ihren grossen Villen am Zürichberg etwas den Weg weisen. An diesen Herrenabenden nahm zum Beispiel James Schwarzenbach statt, der später mit seiner Ausländerinitiative für viel Emotionen sorgte. Oder der Bankier Emil Duft der Katholisch-Konservativen, der 1953 gegen den FDP-Politiker Hans Streuli als Bundesratskandidat aufgestellt wurde. Duft war auch Mitglied der Kirchenpflege in St. Martin.

Kirche St. Martin, Zürich

Hatten diese Herrenabende somit auch politische Komponenten?

Ich habe die Tendenz, dass ich es allen recht machen will, und bin deshalb etwas konfliktscheu. Ich sagte Schwarzenbach meine Meinung, wollte aber mit ihm keinen Konflikt. Meine Predigten hörte er sich regelmässig an. Den Herrenabend habe ich dann bald geöffnet, weil auch Frauen teilnehmen wollten. Mit der Zeit wurde daraus ein Forum. Es fanden Vorträge statt, für einen konnte ich auch Joseph Ratzinger gewinnen, den späteren Papst. Theologisch hatten wir in St. Martin ein hohes Niveau, deshalb galten wir als Sonderfall. St. Martin war aber auch eine Dienstmädchen-Pfarrei. In vielen dieser Villen gab es mehrere Bedienstete aus Österreich oder Italien. Für sie organisierten wir in St. Martin den Circolo italiano und den Treff für Österreicher. Durch die staatliche Anerkennung der Kirche 1963 hatten wir mit der Kirchensteuer bedeutend mehr Geld zur Verfügung. Ich konnte einen Sakristan und eine Sekretärin anstellen. Mein Lohn von 300 Franken pro Monat gehörte auch der Vergangenheit an. Die Zeit einer armen und entsprechend sparsamen Kirche war vorbei.

Welche Folgen zeitigte das Konzil in Ihrer Pfarrei?

Das Konzil war die Krönung, die gute Stimmung hielt an. Die Kirche genoss nach dem Konzil ein hohes Ansehen, das sie zwischenzeitlich leider wieder verspielt hat. Die Kirche von St. Martin war voll. Fast die Hälfte der Besucher kam aus anderen Gemeinden. In St. Martin manifestierte sich, dass die Kirche um der Menschen willen da ist und nicht umgekehrt. Die Kirche ist eine Gemeinschaft all derjenigen, die an diesen Jesus glauben. Deshalb ist für mich Kirche eine Lebensform, ein Ort der Begegnung, Kirche ist Kommunion. Daraus lassen sich die Forderungen nach einer demokratischen Kirchenstruktur, nach demokratischen Formen der Mitwirkung und der Mitarbeiter der Laien in der Kirche, die Forderung nach der Gleichberechtigung von Mann und Frau, nach einem erneuten Amtsverständnis ableiten. Strukturen sind auch für die Kirche notwendig, aber sie haben eine dienende Funktion und sind wandelbar. Diese Einsicht führte zum nächsten Höhepunkt, der Synode 1972.

SYNODE 72

Die Synode wurde zwischen 1972 und 1975 in den einzelnen Schweizer Bistümern und der Abtei Saint-Maurice durchgeführt. Sie war basisdemokratisch abgestützt, weil sie auf einer landesweiten Umfrage bei Sachkommissionen basierte. Ziel war, das Zweite Vatikanische Konzil in der pastoralen Situation der Ortskirchen der Schweiz umzusetzen. Teilnehmer sprechen heute rückblickend von einer «sehr guten Atmosphäre» und von einer «Aufbruchsstimmung in neuem Geist». Behandelt wurden 12 Themen wie Gottesdienst und Seelsorge oder Glaubensverkündigung. Die Beschlüsse zu den Sachgebieten wurden gesamtschweizerisch zusammengefasst und in Rom präsentiert. Vorgeschlagen wurden die Frauenordination, die Freiwilligkeit des Zölibates, Wiedereingliederung verheirateter Priester, Zulassung von wiederverheirateten Geschiedenen zu den Sakramenten und die Errichtung eines Pastoralrats, der als Beratungsorgan für die Bischofskonferenz dienen sollte. Die Erneuerungsvorschläge stiessen im Vatikan jedoch weitgehend auf Ablehnung. Einzelne Vorschläge wurden direkt abgelehnt, auf andere gar nie eingetreten. Hingegen sind die Leitung von Gemeinden ohne Priester vor Ort durch Laien (Frauen und Männern) wie auch die Predigt von Nichtklerikern eine Errungenschaft der Synode 72.

Die vorgeschlagenen Erneuerungen hätten die herrschende Krise der Kirche in der Schweiz verhindert, meinen progressive Theologen heute. Manfred Belok, Professor für Pastoraltheologie in Chur, regt nun eine neue gesamtschweizerische Synode im Stil der Synode 72 an, «um den Reformgeist in der Katholischen Kirche

50 Jahre nach dem Zweiten Vatikanischen Konzil und 40 Jahre nach der Synode 72 wiederzubeleben»[13].

Der Vatikan vermittelt nicht immer diesen Eindruck.

Der einzige Stellvertreter Christi auf Erden ist für mich der heilige Geist, und der ist allen geschenkt, von niemandem gepachtet. Das allgemeine Priestertum ist für mich wichtiger als das besondere Priestertum. Ich verweise auf den ersten Petrusbrief: «Ihr seid nicht mehr Fremde ohne Bürgerrecht, sondern Mitbürger der Heiligen und Hausgenossen Gottes. Ihr seid auf das Fundament der Apostel und Propheten gebaut, der Schlussstein ist Christus Jesus selbst. Durch ihn wird der ganze Bau zusammengehalten und wächst zu einem heiligen Tempel im Herrn. Durch ihn werdet auch ihr im Geist zu einer Wohnung Gottes erbaut.»

Wer nun ernst macht mit der Einsicht, dass wir alle Kirche und Gemeinde Jesu Christi sind, der kann nicht anders, als die eigenen Schwächen und Grenzen in diese Kirche miteinzubringen. Diese Kirche ist dadurch eine Kirche der Sünder. Durch meine eigenen Sünden und durch meine kleinliche Rechthaberei trage ich dazu bei, das Niveau in der Kirche zu senken. Karl Rahner hat das sehr schön formuliert: «Keiner lebt sich allein. Keiner sündigt also für sich allein. In der Finsternis der Welt, in ihrer dumpfen Sündigkeit, in der Geistesträgheit der Kirche, die wir so oft beklagen, als ob wir daran unschuldig wären – blickt uns unsere eigene Schuld an. Wer das begreift, der wird erkennen, dass das christlich wahrste Aufbegehren gegen die Sünde in der

Kirche die Anklage der eigenen Schuld vor der Kirche ist, an der man selber durch seine eigene Schuld schuldig geworden ist.»[14]

Aber die Lösung kann ja nicht sein, zu schweigen, weil man eine Mitschuld trägt.

Man muss nicht schweigen. Kirchenkritik ist für mich der Wille zur Umkehr und Veränderung. Das hat mit dem biblischen Begriff Busse zu tun. Ich kritisiere meine Kirche, weil ich in dieser Kirche stehe. Die Kirche der Sünder muss und soll zu einer Kirche der Büssenden werden. Busse hat im eigenen Herzen zu beginnen, dann aber hat sie sich auszuweiten und braucht auch vor der Kirche nicht haltzumachen. Mit Busse meine ich Veränderung. Wer nur konserviert und restauriert, der degeneriert. Nur eine Kirche, die zur Veränderung und zum Wandel bereit ist, hat für mich eine Zukunft. Alle Restauration, wie sie zurzeit im Schwange ist, lebt von der ausgesprochenen oder unausgesprochenen Lüge, dass sich nichts in der Welt verändert habe. Für mich ist die Kirche als Kirche Jesus Christi notwendigerweise progressiv, das heisst zu Deutsch voranschreitend, unterwegs und damit veränderlich und wandelbar. Eine Kirche ohne Reformgesinnung, ohne den Willen zu Veränderung, verfehlt genauso die Forderung Jesu wie ein einziger Christ, der nur das Eine will: Dass alles beim Alten bleibe. Ich versuchte diesen Geist in St. Martin zu leben und zu vermitteln.

V Lehrstuhl für Pastoraltheologie in Luzern: Die Leidenschaft Predigt wird Beruf

Und dieser Geist führte 1972 zur Berufung an die theologische Fakultät in Luzern.

Bischof Anton Hänggi kam einmal inkognito nach St. Martin in die Messe, um einen Eindruck zu gewinnen. St. Martin stand damals auch im Ruf, liturgisch fortschrittlich zu sein. Offenbar hatte Bischof Hänggi überzeugt, was er sah. Er rief mich an und bot mir den Lehrstuhl für Pastoraltheologie an, der nach einer zweiten Abstimmung in Luzern gegründet wurde. Ich war nicht auf einen Schlag davon begeistert. Ich war als Pfarrer in St. Martin glucklich, und ich hatte nie wissenschaftlich gearbeitet. Mein Kollege Franz Böckle machte mir Mut. Er sagte mir, ich sei nun 50 Jahre alt und müsse etwas Neues wagen. Das sei eine Chance, die sich nicht so schnell wieder eröffne. Nach langem Überlegen nahm ich das Angebot von Bischof Hänggi an und wurde problemlos auf den Lehrstuhl gewählt. In den Jahren danach hatte ich manchmal diesen Schritt bereut. Denn in Luzern bin ich von meinen Begabungen her an Grenzen gestossen. Als Pfarrer in St. Martin hatte ich nicht dieses Gefühl. In

Hörsaal im Priesterseminar St. Beat in Luzern

Luzern hatte ich oft den Eindruck, dass es schon viel intelligentere Menschen gab als mich.

THEOLOGISCHE FAKULTÄT LUZERN

Als die Jesuiten 1574 in Luzern ein neues Kolleg gründeten und zwei Jahre später ihre Schule den Betrieb aufnehmen konnte, war man noch weit entfernt von einer Universität, wie man sie beispielsweise in Basel kannte. 1848 bekam die Höhere Lehranstalt dann einen theologischen Zweig, der 1910 als Theologische Fakultät Luzern in kantonaler Trägerschaft eigenständig wurde. Die Errichtigung eines Priesterseminars für das Bistum Basel, zu dem Luzern gehört, im Jahr 1883 festigte Luzern als theologischen Ausbildungsort. 1963 wurde das Katechetische Institut gegründet und ein Lehrstuhl für Katechetik eingerichtet. Luzern war somit Ausbildungsort für Religionslehrpersonen und Priester.

Als der Vatikan 1970 der Fakultät das Recht zuerkannte, akademische Grade zu verleihen, bestätigte der Luzerner Erziehungsrat im gleichen Jahr den universitären Status der Fakultät. Die Pastoraltheologie spielte jedoch noch eine untergeordnete Rolle. Sie konnte sich als relativ junge Wissenschaft neben den klassischen Fächern wie Dogmatik, Moraltheologie, Ethik und Exegese nur schwer behaupten – so fristete die Pastoraltheologie an vielen Fakultäten ein Randdasein, weil ihr der streng wissenschaftliche Charakter abgesprochen wurde.

In den folgenden Jahren nahm die Zahl der Priesteramtskandidaten an der Fakultät ständig ab, ohne das sich die Zahl der Studierenden reduzierte. Studiert wurde fortan Theologie aus Interesse, um als Laientheologin oder -theologe in den kirchlichen Dienst zu treten. Das spiegelte auch der Lehrkörper wider. Die Priester-Professoren wurden nach und nach durch Professorinnen und Professoren, die meisten aus dem Ausland, ersetzt.

Die Fakultät erlangte für ihre Judaistik unter Lukas Thommen internationale Bedeutung. Auf nationaler Ebene hat sie beim Katechismus eine führende Rolle eingenommen. Das katechetische Institut erfuhr einen grossen Zustrom für die Ausbildung zu Religionslehrerinnen und -lehren. 1993 entstand eine universitäre Hochschule mit zwei Fakultäten (neu dazu kam das Philosophische Institut), in der die theologische Fakultät aufging. Die Hochschule war Basis für die am 21. Mai 2000 durch Volksabstimmung gegründete Luzerner Universität, die ein Jahr später bereits mit der Rechtswissenschaftlichen als dritte Fakultät sowie einem Soziologischen Seminar erweitert werden konnte.

Heute umfasst die Theologische Fakultät der Universität Luzern eine Vielzahl von Instituten: Das Institut für Jüdisch-Christliche Forschung, das Institut für kirchliche Weiterbildung, das Institut für Sozialethik, das Ökumensiche Institut, das Religionspädagogische Institut, das Theologische Seminar Dritter Bildungsweg, das Zentrum für Religion, Wirtschaft und Politik.

Das neue Fach Pastoraltheologie – welche Erwartungen hatte die Fakultät an Sie?

Man berief mich aus der seelsorglichen Praxis und um eine brauchbare seelsorgliche Theorie zu vermitteln, eine Theorie der Praxis. Theologie versteht sich ja nicht als Selbstzweck, sondern als Dienst an den Menschen in ihrer jeweiligen Zeit. Deshalb können sie auch die Fragen und Nöte der Menschen heute keineswegs kalt lassen. So hiess dann auch mein Fach «praktische Theologie» oder geläufiger «Pastoraltheologie». Und so bekam auch meine Festschrift zu meinem 75. Geburtstag den sinnvollen Titel «Theologie, die sieht und hört». Darum ging es mir in Luzern. Pastorale Praxis ist demnach der Ernstfall der Theologie und deshalb auch als «Veträglichkeitstest» der theologischen Theorien zu verstehen. Denn das Leben wartet nicht, bis die Theorie zum Ende kommt. Die Theorie braucht den Vorgriff des Lebens, das immer heute ist.

Kardinal Kurt Koch, der als Student meine Vorlesungen besuchte, schreibt in der genannten Festschrift: «Es versteht sich, dass Josef Bommer als Theologe mit zwei klaren Augen das Herzstück seiner Pastoraltheologie von der Predigt-Lehre, also in der Homiletik, fand und – einem Wink der sich biografisch inkarnierten Vorsehung Gottes folgend – wohl finden musste. Wer ihn kennt, weiss aus eigener Erfahrung, dass er nirgendwo sonst so sehr in seinem Element war wie in der homiletischen Arbeit. Die Predigt pflegte er gerne als ‹Ernstfall der Theologie› zu bezeichnen, weil er darum wusste, dass eine Theologie, die nicht gepredigt werden kann, auch nicht würdig und recht ist, gelehrt zu werden.»[15] Diese Sätze kennzeichnen meine Arbeit an der Fakultät. Praktische Theologie verstehe ich als Kunst und Wissenschaft. Und genau so lautete auch das Thema meiner Abschiedsvorlesung.

Dann greifen wir vor. Wie kamen Sie zu diesem Schluss am Ende Ihrer Lehrtätigkeit?

Unter dem Begriff Pastoraltheologie sammelt sich ein ganzes Bündel von recht verschiedenen Fachgebieten. Angefangen etwa bei der Literaturwissenschaft und der damit eng verbundenen Sakramentpastoral über die Religionspädagogik und die Katechetik bis hin zur Homiletik, zur Gemeindetheologie – zur Seelsorgswissenschaft im engeren Sinne. Es gesellen sich dazu verschiedene Humanwissenschaften wie Pädagogik, Psychologie und Soziologie: Fachbereiche, ohne die praktische Theologie heute gar nicht mehr sinnvoll betrieben werden kann.

Wie kann das alles zusammengehalten werden, ohne sich in Widersprüche zu verlieren?

Durch den Praxisbezug. Das ist nicht einfach Zugabe, sondern der Praxisbezug ist für die Pastoraltheologie schlechterdings konstitutiv. Praxis muss dabei in einem vierfachen Sinn verstanden werden: Es geht einmal um das, was ich die Praxis Gottes nennen möchte, um die Tatsache also, dass unser Gott sich als handelnd erweist. Kurz: Gott heute zur Sprache bringen. Ein Zweites ist die Praxis Jesu, jene evangelische Lebenspraxis, jenes Handeln Jesu, in dem sich das Handeln Gottes im neuen Bund offenbart hat. Hier wird sichtbar die christologische Linie. Kurz: Einüben in die Nachfolge Jesu. Drittens die Praxis der Kirche, die Praxis der christlichen Gemeinde, die Seelsorge. Die Aufgabe der praktischen Theologie ist es dann, das Handeln der Kirche kritisch zu begleiten und prospektiv zu planen. Viertens die Praxis des Menschen, die christliche Lebenspraxis des Gläubigen. Das ist der anthropologische Aspekt der praktischen Theologie. Die Bedürfnisse des Menschen und die Probleme der menschlichen Gesellschaft kommen hier zu ihrem Recht. Praktische Theologie bemüht sich um eine erlösende, befreiende, kommunikative Pastoral.

Denn die einst geübte Pastoral der moralischen Disziplinierung, der sakramentalistischen Versorgung und intellektualistischen Belehrung der Gläubigen durch den Klerus hat keine Zukunft. An ihre Stelle tritt im Sinne der Pastoraltheologie eine Pastoral des gemeinsamen Lebens, des solidarischen Miteinanders, der partnerschaftlichen Kooperation von Priestern und Laien. Die Versorgungspastoral und die Angebotspastoral werden abgelöst durch eine Beteiligungspastoral. Eine solche Pastoral verlangt das Mitspracherecht und die Mitbeteiligung aller in der Kirche und für die Kirche.

Die wünschenswerte Mitsprache und Beteiligung sind doch bestimmt nicht voraussetzungslos.

Das stimmt, es handelt sich nicht einmal nur um ein rein handwerkliches Können, um rein pragmatische Anwendung. Es geht in der praktischen Theologie nie nur um Rezepte, die, in ansprechender Form verpackt, genau beschreiben, wie man «es macht». Es geht um geistige und geistliche Kompetenz, nämlich um ein Können, das sich durchaus als Kunst bezeichnen darf. Praktische Theologie ist demnach Kunst und Wissenschaft. Dass die praktische Theologie im Allgemeinen nicht nur im Haus der Wissenschaft, sondern auch im Haus der Kunst beheimatet sein müsse, weiss schon Karl Barth, wenn er schreibt:

«Unter allen Wissenschaften ist die Theologie die schönste, die den Kopf und das Herz am reichsten bewegende, am nächsten kommend der menschlichen Wirklichkeit und den klarsten Ausblick gebend auf die Wahrheit, nach der alle Wissenschaft fragt, am nächsten kommend dem, was der ehrwürdige und tiefsinnige Name einer ‹Fakultät› besagen will, eine Landschaft mit fernsten und doch immer noch hellen Perspektiven

Hofkirche Luzern

wie die von Umbrien oder Toskana und ein Kunstwerk, so wohl überlegt und so bizarr wie der Dom von Köln oder von Mailand. Arme Theologen und arme Zeiten in der Theologie, die das etwa noch nicht gemerkt haben sollten!»[16] Theologie ist eine eigentümlich faszinierende, weil auch nach gedanklicher Architektonik uns insofern nach Schönheit unwiderstehliche Wissenschaft. Praktische Theologie tendiert so gesehen auf Kunstfertigkeit, sie wird in ihrem Vollzug zur Kunst. Die Distanzierung der Theologie zur Kunst geht Hand in Hand mit der Isolierung der Praxis, was sich etwa in der theologischen Fachsprache, im Gegensatz zur Predigtsprache, besonders deutlich zeigt. Als Beweis dafür, dass praktische Theologie immer auch auf Kunstfertigkeit tendiert und dass demgemäss auch seelsorgerische Praxis etwas mit Kunst zu tun hat, seien drei Praxisfelder: die Predigt, der Gemeindeaufbau und das seelsorgerische Gespräch.

Wir sollten später bei der Vertiefung Ihrer Lehrtätigkeit darauf zurückkommen. Gehen wir zurück zu Ihrem Ruf an die Fakultät: Als Sie nach Luzern berufen wurden, waren die Folgen der 68er-Bewegung überall sichtbar, besonders die sexuelle Revolution. Wie gingen Sie fachlich damit um?

Die 68er-Bewegung hat auch vor der Theologischen Fakultät in Luzern nicht haltgemacht. Sie war aber kein grosses Thema. Dennoch: Über Sexualität wird in der katholischen Kirche wenig gesprochen. Unsere Kirche hat durch ihre strenge Sexualmoral, durch ihre Sexualfeindlichkeit vor allem bei jungen Menschen an Glaubwürdigkeit eingebüsst. Die Beurteilung der Masturbation zum Beispiel, was gerade die pubertierende Jugend betraf. Da hat man eine sehr harmlose, natürliche Sache zu einer Sünde hochgespielt. Entscheid war das Verbot der Pille in der sehr unglücklichen Enzyklika «Humanae vitae» von Paul VI. im Juni 1968.

Wenn wir tiefer in die Ereignisse von 1968 einsteigen, verstehen wir den Kontext der Enzyklika vielleicht besser: Der Prager Frühling wurde niedergemacht, Martin Luther King wurde erschossen und zwei Monate später Robert Kennedy, und in Paris haben die Studentenproteste zu Ausschreitungen geführt, was auf andere europäische Städte übergriff. Nach diesen Ereignissen erschien das päpstliche Rundschreiben «Über die rechte Ordnung der Weitergabe des menschlichen Lebens».

Die Theorie des kirchlichen Lehramtes richtete sich darauf aus, dass Sex nur in der Ehe für den Nachwuchs bestimmt sei. Da klaffte eine gewaltige Kluft zur gelebten Praxis der Christen. Ich denke, dass es ein Recht auf Sexualität für alle Menschen gibt. Bei Jesus wird klar, dass nicht äussere Reinheit entscheidet, sondern die Reinheit des Herzens. Nicht äussere Befleckung steht im Vordergrund, sondern eine innere Gesinnung, bei der vor allem die Rücksicht auf den Nächsten, also die Nächstenliebe im Vordergrund steht. Kein äusserlicher Reinheitsparagraf ist für Jesus wichtig, sondern das Innere des Menschen. So sagte Jesus: «Aus dem Herzen des Menschen kommt Gutes und Böses.» Nicht kultische Reinheit, sondern ethische Reinheit nennen das die Theologen. Die Sexualität an sich ist etwas Gutes und kann viel Gutes bewirken: Freude und Glück, und wo es zu verantworten ist, erfüllen sie auch ihren ersten, naturgegebenen Sinn, nämlich Nachkommenschaft zu zeugen.

In der Enzyklika steht: «Ebenso ist jede Handlung verwerflich, die entweder in Voraussicht oder während des Vollzugs des ehelichen Aktes oder im Anschluss an ihn beim Ablauf seiner natürlichen

Auswirkungen darauf abstellt, die Fortpflanzung zu verhindern.»
Das bedeutet, Sexualität ist nur innerhalb der Ehe erlaubt und nur dann, wenn eine Fortpflanzung erwünscht ist.

Sexualität macht nicht unrein, aber sie sollte eingebunden sein in rücksichtsvolle und verantwortungsbewusste Menschlichkeit, konkret in Liebe und Treue. Wenn Liebe und Treue vorhanden sind, kann Sexualität auch ausserhalb der Ehe Platz haben. Geschlechtliche Lust ist ebenso wenig etwas in sich Schlechtes oder Minderwertiges wie Nacktheit, wie die Lust am Leib und an der Leiblichkeit. Natürlich kann alles auch missbraucht werden und oft tragische Folgen haben. Das wird in der heutigen Zeit, in der ein einfacher und massenhafter Zugang zu sexuellen Reizen und Konsum problemlos möglich ist, überdeutlich. Eine sexuelle Verwilderung, die keine Tabus kennt, wo einfach alles erlaubt zu sein scheint, wo so verheerende Dinge wie Prostitution und Pornografie schlichtweg selbstverständlich geworden sind, ist natürlich nicht von Gutem. Kommt dazu, dass verwilderter Sex und Gewalt sehr eng miteinander zusammengehen: Heute besteht eine manipulierbare und kommerzialisierbare Sexualität. Der Mensch wird zum Sexualobjekt, Liebe wird käuflich. Sex macht die Person zur Sache. Aber nochmals: Sexualität befleckt nicht, sie macht nicht unrein. Nicht ein kultisches Moment steht im Vordergrund, sondern ein ethisches. Die entscheidende Maxime des moralischen Verhaltens in der Sexualität lautet Rücksichtnahme auf den andern Menschen.

Dennoch scheint in der Kirche Sexualität schnell in Sünde zu münden.

Wir haben in unseren christlichen Kirchen in der Vergangenheit zu oft und zu ausgiebig von Sünde geredet. Wir haben damit der Sache weitgehend ihren Ernst genommen. Der heutige Mensch ist nun einmal nicht bereit, sich vor allem und zuerst und immer nur als nichtsnutziger Sünder zu fühlen. Wer will schon immer nur als verfluchter Sündenknecht wie bei Luther angesprochen werden? Der Mensch ist von seiner Nichtigkeit und Nichtsnutzigkeit nicht so überzeugt, wie manche Theologen und Kirchenleute es scheinbar gerne haben möchten. Wir sind der vielleicht etwas zu optimistischen Meinung, dass wir heute im Durchschnitt mit einem grösseren und gesünderen Selbstvertrauen des Menschen rechnen dürfen und sollen. Ein frohes, positiveres Lebensgefühl darf vorausgesetzt werden. Und für einen Grossteil der Menschen ist gewiss das Gute die Regel und das Böse die Ausnahme. Trotzdem: Es wäre natürlich unsinnig, nicht wahrhaben zu wollen, dass mit dem Begriff Sünde etwas ganz reales und unsagbar Schreckliches gemeint sein kann: Das Geheimnis des Bösen. Denken wir an die verschiedenen Krisenherde und Kriege, gar nicht zu reden vom Holocaust. Die Summe all dieser Schrecknisse, das Bild einer doch immer auch unheilen, eben sündigen Welt, diese globale Schuldigkeit, das nennen die Theologen die Sünde der Welt. Und da hat auch der etwas unglückliche Begriff der Erbsünde seinen Platz. Erbschuld als Sünde der Welt, die wir alle so oder so mittragen und wohl auch in vielen Fällen mitleiden, das ist die Realität. Schuld und Sünde betreffen uns alle und die ganze Schöpfung. Wir alle bedürfen so oder so der Erlösung.

Nun zur persönlichen Sünde. Meine und deine Unvollkommenheit. Den Schatten, den wir durchs Leben mitnehmen. Es gilt der Satz aus dem ersten Johannesbrief (1 Joh 1,8): «Wer von euch sagt, dass er ohne Sünde sei, ist ein Lügner, und die Wahrheit ist nicht mit ihm.» Da gibt es Alltagssünden, die wir als lässliche Sünden bezeichnen. Und dann gibt es die Todsünde. Grundentscheide, die Mitmenschen schwersten Schaden zugefügt haben, sie erledigt, getötet haben. In unserer Zeit hat sich zweifellos das Schuldbewusstsein verändert. Vom Paragrafen-Gewissen nach dem Sündenreglement im alten Beichtspiegel hin zu einem Wertgewissen. Die Psychologen nennen das vom aussengesteuerten zum innengesteuerten Menschen. Vom Kindheits-Ich zum Erwachsenen-Ich. Hinzu kommen neue Aspekte der Wahrnehmung von Schuld. Verletzung von Menschenrechten, fehlende Solidarität oder Personenwürde. Oder die globale Ungerechtigkeit einer Welt von Hunger und Elend auf der einen und einem skandalösen Luxus auf der andern Seite. Karl Rahner hat das so zusammengefasst: «Auch als Gerechtfertigter bleibt der Mensch Pilger. Er hat als solcher nicht nur einen äußerlichen Zeitraum zu durchleben. Er ist vielmehr unterwegs. In seiner persönlichen Heilsgeschichte ist er auf der Suche nach dem Bleibenden, Unzerstörbaren und Endgültigen. Wir pilgern im Glauben. Wir besitzen Gott nur auf Grund der Hoffnung. […] Von Adam und dem Land der Finsternis kommen wir und suchen das ewige Licht und die helle Vollendung.»[17]

Die Kirche bleibt also nicht beim blossen bewusstmachen von Schuld und Sünde, sondern hilft zur Bewältigung. Aber wie?

Richtig, Schuld muss verarbeitet *und* bewältigt werden. Es geht im eigentlichen Sinne um das Wort Entschuldigung. Dieses Wort hat heute Hochkonjunktur. Doch der heutige Mensch verlangt auf ganz verschiedenen Ebenen Entschuldigungen. Da ist einmal die politische Ebene. Die Geschichte neigt zum Verdrängen. Die Schrecken der Kriege zum Beispiel fallen dem bewussten Vergessen des Menschen anheim und belasten die Zukunft eines Volkes. Diese Schrecken müssen so oder so aufgearbeitet werden. Deutschland hat hier im Grossen und Ganzen gute Arbeit geleistet im Hinblick auf die Schrecken der Naziherrschaft und den Holocaust. Der Kniefall von Bundeskanzler Willy Brandt in Warschau ist unvergesslich. Der Genozid an den Armeniern bleibt immer noch ungesühnt, ebenso die Massaker in Srebrenica. Es bleiben Wunden am Körper dieser Nationen. Trotzdem gibt es auch immer noch Leute, die behaupten, das alles habe es nie gegeben. Und was unsere Kirche anbetrifft: Papst Johannes Paul II. hat hier ein leuchtendes Beispiel gegeben. Ich sehe vor mir diesen grossen letzten Papst vor der Klagemauer in Jerusalem stehen und die Juden um Verzeihung bitten für das Unrecht, das die katholische Kirche in der

Geschichte der Juden angetan hat. Und ich erinnere mich an die eindrucksvolle Bussliturgie, die derselbe Papst in St. Peter gefeiert hat mit Blick auf die finsteren Epochen in der Kirchengeschichte. Das Wort Busse ist eigentlich nicht sehr glücklich, weil der Begriff ungute Assoziationen weckt. Man denkt an die letzte Polizeibusse. Dann denkt man an Busswerke, an mittelalterliche anmutende Busshandlungen wie Geisselungen und strengstes Fasten, an Bussdisziplinen und mönchische Bussformen. Das Wort und der Begriff Busse stimmen unfroh, wirken bedrohlich. Es muss Blut fliessen, es muss gelitten werden, um Sünden zu tilgen. Doch Busse im biblischen Sinne meint *metanoia*, Umdenken, Umkehr. Der Mensch soll und darf voll vertrauen, mit Gott und seiner verzeihenden Liebe und Güte sich und sein Leben neu ausrichten zu können. Gott hat sich uns Menschen schon zugewandt, und aufgrund dieser erlösenden Zuwendung Gottes in Jesus, seinem Sohn, sollten wir uns auch unserem Gott zuwenden, der wie der Vater im Gleichnis vom verlorenen Sohn[18] immer schon auf uns gewartet hat. Strenge Strafbedingungen finden sich in dieser Parabel überhaupt nicht. Geisselungen werden nicht abverlangt, das Bussgewand wird nicht angelegt. Nur eines ist notwendig: Dass meine erneute Zuwendung zu Gott zur Zuwendung zu den Mitmenschen wird. Das grosse Wort in der Botschaft Jesu lautet: Wenn du deine Gabe zum Altare bringst und du dich erinnerst, dass du mit deinem Bruder, deiner Schwester nicht in Frieden lebst, dann lass deine Gaben vor dem

Altar liegen und gehe zuerst und schliesse Frieden mit den Deinen. Dann komm und opfere deine Gaben.[19] Und da die berechtigte Frage des Pertus: Ja, wie oft muss ich dem nächsten Menschen, meinem Bruder, meiner Schwester verzeihen? Etwa sieben Mal? Und Jesus: Nicht sieben Mal, sondern siebenundsiebzig Mal,[20] und das heisst wohl: immer. Da ist Gott, da ist Jesus radikal. Barmherzigkeit will ich, nicht Opfer. Barmherzigkeit und Busse meinen genau das: Versöhnung und Veränderung. Und so wird Busse schlicht und einfach zur Nächstenliebe. So werden Busswerke zu Taten, durch die dem andern geholfen wird. Und so wird durch Busse das Reich Gottes als ein Reich der Gerechtigkeit und der Liebe aufgebaut.

Mit dem Lehrstuhl in Luzern wurde Ihre Leidenschaft, die Predigt, zum Beruf.

Predigt hat mit Sprache zu tun. Sprache aber ist nicht denkbar ohne Poesie und Rhetorik. Man redet nicht umsonst schon sehr früh von der Predigtkunst, der *ars concionandi*. Und bei einem alten Homiletiker findet sich der Satz. «Viel von einem Architekten, ein wenig vom Maler und Zeichner, einiges vom Musiker, einiges vom Apotheker und Gewürzkrämer sollte sich im Prediger zusammenfinden.» Kurt Marti vergleicht einmal die Entstehung eines Gedichtes mit der Entstehung einer Predigt. Es war sicherlich kein schlechter Gedanke, dass die evangelische Kirche in Liechtenstein vor Jahren bekannte Dichter und Schriftsteller auf die Kanzel berief.[21] Interessant ist dabei zu erle-

St. Martin, Ambo

ben, wie Predigten zu sprachlichen Kunstwerken werden und wie gross vor allem das narrative Element in diesen Predigten ist. Und wer darüber die Nase rümpft, der sollte immerhin bedenken, dass die biblischen Schriften auf weite Strecken nicht der wissenschaftlichen Theologie, sondern der Kunst, der Poesie verpflichtet sind. Unsere durchschnittlichen Predigten sind darum oft zu langweilig und für Hörer nichtssagend, weil sie sprachlich nicht gekonnt sind. Waren sie früher besser? Ich denke nein, im Gegenteil: Im Zeitalter, da an vielen Orten wegen des grosses Priestermangels priesterlose Wortgottesdienste die Eucharistiefeier ersetzen, wird viel Mühe und Arbeit für die Predigt aufgewendet. Oft aber mit einem mässigen Erfolg. Das mag verschiedene Gründe haben. Einen sehe ich darin, dass die mit viel Eifer ausgearbeiteten Predigten in einem sauberen am Computer geschriebenen Manuskript nicht frei vorgetragen, sondern mehr oder weniger abgelesen werden. Sie sind dann eben keine Rede mehr, sondern eine Schreibe. Die Predigt wird zur Vorlesung. Kommt dazu, dass manche eher langweilige Auslegung des Bibeltextes dem wirklichen Leben und Zuhörer sehr fern liegt und es dadurch nicht gelingt, die alten Worte neu zu sagen. Zudem ist eine echte Rhetorik im Vortrag schon lange nicht mehr üblich. Sie gilt als unnatürlich und überholt. Das Mikrofon, das nicht mehr fehlen darf, trifft, glaube ich, dafür weitgehend Mitschuld. Und noch etwas muss zu denken geben: Es wird viel, zu viel moralisiert. Viel zu bald ergeht sich der Prediger, die Predigerin in gut gemeinten Appellen, die eben nur gut gemeint, aber nicht begründet sind.

Es sind drei Elemente, die zu einer guten Predigt gehören: Die Information, dann die Argumentation und als letztes der moralische Appell, er sei kurz gehalten. Der Prediger ist kein Besserwisser, sondern ein bescheidener Zeitgenosse, der auch im Leben oft versagt und nicht in allen Lebensbereichen immer schon Bescheid weiss. In

Fragen um Ehe und Familie täte unser zölibatär geprägtes Kirchengut gut daran, zu schweigen und das Reden andern zu überlassen. Noch ein Letztes: Wir sollten unsere Predigthörer und -hörerinnen nicht unterschätzen und sie nicht für dumm verkaufen. Wir leben in einer Bildungsgesellschaft, und so soll die Predigt durchaus auch ein gewisses geistiges, intellektuelles Niveau aufweisen dürfen. Und es gibt Probleme und Lebensbereiche, auf die die Bibel nun einmal keine Antwort zu geben weiss. Ich denke etwa an Fragen um Sterbehilfe, um Sexualität oder die Ehescheidung, was wir hier schon thematisiert haben. Ich nenne das «gefährlich predigen».

Neben der Predigt beschäftigten Sie sich an der Fakultät mit Fragen zum Gemeindeaufbau und zur Gemeindeführung. Das sieht auf den ersten Blick sehr formalistisch aus.

Es geht dabei um Fragen, wie unsere Pfarreien ihre Aufgabe im Dienst des Menschen erfüllen sollen und können, wie Seelsorge geschehen kann und soll. Der Priestermangel ist beängstigend. Eine Trendwende ist nicht in Sicht.[22] Auch die Zahl der Laientheologen ist nicht ausreichend. Von den Theologiestudentinnen und -studenten treten lange nicht mehr alle in den kirchlichen Dienst. Man studiert Theologie ohne Absicht, sich in den kirchlichen Dienst zu stellen. Dieses Problem kann man von zwei Seiten angehen. Von der Seite des Amtes her und von der Seite der Gemeinde her. Wird unser Problem von der Seite des kirchlichen Amtes her angegangen, so werden etwa die folgenden Lösungsmöglichkeiten vorgeschlagen: Verstärkte Bemühungen um Priester- und Ordensberufe, Änderung der Zulassungsbestimmungen zum Priestertum, Amtsfähigkeit der Frau (die Priesterweihe ist ihr grundlos verwehrt). Dann die Rolle der Laientheologen: Sie müsste aufgewertet werden durch eine Ausdehnung der Aufgaben. Die gute finanzielle Lage, in der sich unsre Kirchgemeinden hierzulande befinden, ermöglichen Lösungen, die sich ärmere Kirchen, etwa in Frankreich oder Italien, gar nicht leisten können. Nur eine reiche Kirche hat solche Ausweichmöglichkeiten. Man kann aber das ganze Problem auch von einer andern Seite her angehen. Nicht vom Amt her, sondern von unten, von der Gemeinde her. Hier geht es um eine Erneuerung der Seelsorge, die nicht primär beim Amt und bei der Hierarchie, sondern bei der Pfarrei selbst und damit an der Basis ansetzt. Der Begriff Gemeinde ersetzt dann den Begriff Pfarrei, der für das alte, vorkonziliäre, stark vom hierarchischen Amt geprägten Kirchenbild steht. Das bedeutet von der versorgten zur engagierten Gemeinde, von der statischen zur dynamischen Gemeinde, von der strukturorientierten zur prozessorientierten Gemeinde.

Ist das nur eine Änderung des Begriffs, oder steckt dahinter auch eine Änderung der Gemeinde selbst? Braucht es ein anderes Selbstverständnis?

Die Gemeinde soll und darf nicht länger einfach Objekt, Gegenstand seelsorgerischer Betreuung sein, die Gemeinde muss lernen, sich als Subjekt ihres eigenen Lebens und Wirkens zu verstehen. Eine Versorgungspastoral, wo alles und jedes von oben, vom Pfarrer und seinen Mitarbeitern erwartet wird, muss abgelöst werden durch ein Gemeinschaftskonzept, bei dem die Gemeinde ihre Angelegenheiten weitgehend selbst in die Hand nimmt und autonom besorgt. Und es ist die Meinung aller aufgeschlossenen Gemeindetheologen, dass es im Neuen Testament und in den dort beschriebenen Gemeinden eigentlich auch so war. Die Kirche von oben wird so abgelöst durch eine Kirche von unten.

Heute scheint es, dass die Realität der Pfarrgemeinden gar nicht schwarz-weiss zu beschreiben ist, sondern dass sie von allem etwas haben, aber eben nur Halbheiten.

Aus meiner Sicht gibt es drei mögliche Typen von Pfarreien: Die Pfarrei als Verwaltungseinheit – sie ist Agentur und Filiale der grossen Weltkirche. Sie sieht sich am unteren Ende eines Strukturgefüges, in dem es weiter oben die Bistumsleitung gibt und schliesslich an der Spitze der Pyramide Rom und den Papst. Die Weltkirche, die Gesamtkirche hat hier Vorrang. Die einzelne Gemeinde wird so vor allem unter dem Aspekt ihrer Zugehörigkeit zu Gesamtkirche betrachtet. Diese Gesamtkirche wird dann einerseits als machtvolle Weltkirche erlebt, anderseits durchaus analog zur bürokratischen Grossorganisationen vorgestellt. Hier wird vor allem verwaltet. Materiell und geistlich. Es geht zuerst darum, von oben vorgegebene Ziele und Aufgaben zu verwirklichen, sei es in der möglichst unverfälschten Weitergabe der richtigen Lehre, sei es in der Einschärfung der Kontrolle von einzuhaltenden Regeln, Geboten und Normen, sei es in konkreten Aufgaben der Diakonie. Das durchschnittliche Gemeindeglied versteht sich im Prinzip als Endverbraucher einer religiösen Versorgungsinstitution. Es wird Messe gelesen, je häufiger, desto besser, und zwar zu allen immer nur möglichen Zeiten. Es werden Sakramente gespendet, und das tun vor allem einmal die Vertreter der Amtskirche. Der Pfarrer vertritt die Interessen des Bischofs und des Papstes. Er hat primär dafür zu sorgen, dass die von oben kommenden Anweisungen gut und korrekt befolgt werden. Alle wichtigen Entscheidungen liegen beim Pfarrer, der sich seinen Vorgesetzten mehr verpflichtet weiss als seinen Gemeinden. Eine solche Pfarrei setzt sich zusammen aus vielen Einzelnen, sie ist die Summe erlösungsbedürftiger Seelen. Die einzelnen Gemeindemitglieder sind viel eher individuell als sozial motiviert. «Rette deine Seele» ist das oberste Prinzip. Ein individuelles Konsumentenverhalten sowie eine passive Rollendefinition sind für eine solche Gemeinde typisch.

Der zweite Typus ist die Gemeinde als Organisation – hier wird die Gemeine schon viel stärker als Subjekt ihres eigenen Handelns verstanden und gesehen. Die Pfarrei wird zur Organisation, zum kirchlichen Unternehmen mit einer relativ grossen Selbständigkeit. Theologisch hat sie als Ortskirche ihre relative Selbständigkeit gewonnen. Sie weiss sich im Sinne der Ekklesiologie des Zweiten Vatikanums als Kirche am Ort, und als solche will sie wahre Kirche Christi sein. Es fallen dann Begriffe wie Kollegialität, Brüderlichkeit und Schwesterlichkeit. Man weiss sich dem Bischof und dem Papst durchaus verbunden, pocht aber auch auf seine theologische Eigenständigkeit, verweist auf den Primat der Ortskirche im Neuen Testament. Man liest mit Vorliebe die beiden Korintherbriefe und beruft sich auf die dortige Charismentheologie. Das Ziel lautet: Möglichst viele Glieder, auch Fernstehende, durch ein bedürfnisorientertes Angebot zu aktivieren. Hier fällt dann das Stichwort von der aktiven Gemeinde. Solche Aktivität erfolgt nach dem Prinzip von Angebot und Nachfrage. Ein möglichst differenziertes und reichhaltiges Angebot, das der Pfarrer und seine oft recht zahlreichen Mitarbeiterinnen und Mitarbeiter bereithalten, versucht einer existenziellen Nachfrage, versucht der Lebensnot der Menschen gerecht zu werden. Die erlösungsbedürftigen Seelen des zuvor beschriebenen ersten Modells werden dann zu aktivierungsbedürftigen Klienten. Im Idealfall zu Mitarbeitenden. Religiöse und soziale Ansprechbarkeit werden erwartet und honoriert. Was zählt, ist die Teilnahme an den verschiedenen Veranstaltungen in Kirche und Pfarrreisaal. Man versucht, verschiedene differenzierte Zielgruppen anzusprechen. Man setzt auf Aktivität. Wer Pfarreiblätter und -programme etwas genauer studiert, der stösst genau auf diesen Typus: die aktive Gemeinde, das reiche Angebot für alle und jeden, der guten Willens ist, wobei sich das Pfarreileben und die Gemeindeaktivität vor allem im Bereich der Freizeit niederschlagen. Etwas boshaft und polemisch gesagt: Die Pfarrei tritt in Konkurrenz zum Fitness-Center. Die Pfarrei wird zu einem Aktivitätszentrum von erstaunlicher Vielseitigkeit, und der Pfarrer, falls es ihn noch gibt, sieht sich an der Spitze eines breit verzweigten Organisationsnetzes. Zu den hierarchischen kommen demokratische Strukturelemente. Das Strukturmuster lässt sich dem Bild der konzentrischen Kreise zuordnen. Der Innenkreis für die Gemeindeleitung. Im Zentrum das Team um den Pfarrer oder die Pfarreibeauftrage, dann die Behördenmitglieder der Kirchenpflege, des Aufsichtsorgans, und der Pfarreirat, der aus Freiwilligen besteht, die Anlässe organisieren, den Küchendienst und vieles mehr übernehmen. Sie sind die Anbieter, die Veranstalter. Der weitere Kreis umfasst die aktiven Gemeindemitglieder, die Kerngemeinde, die aktiv an diesen Veranstaltungen teilnehmen. Sie sind die Konsumenten, die auf die Angebote der Pfarrei eingehen. Dann der grosse passive Aussenkreis. Er besteht aus nominalen und eventuell auch potenziellen Mitgliedern. Hier stellt sich die Frage, ob eine solche Gemeinde wirklich eine Geschichte hat oder nicht viel mehr künstlich produzierte Dynamik. Hier besteht die Gefahr von Stress und blindem Aktionismus. Man passt sich der Konsumgesellschaft allzu sehr an, denn das kirchliche Angebot ist eines unter vielen. Es fehlt die Alternative.

Der dritte Typus ist die Pfarrei als Organismus und als Gemeinwesen. Das ist die nachbürgerliche Basiskirche. Hier begreift sich eine Pfarrei als Gemeinwesen, als kirchlich orientierte Grossgruppe, die sich sehr stark der Ortsgesellschaft und damit auch der politischen Gemeinde verbunden weiss. Sie definiert ihr Leben als einen Prozess im Rahmen gesellschaftlich-geschichtlicher Wirklichkeit. Solche Gemeinden übernehmen dann auch gerne und bewusst eine Orts- oder Quartierbezeichnung und laufen nicht mehr unter dem Namen des Kirchenpatrons. Zum Beispiel Maihof Luzern oder Wien-Machstrasse usw. Der Prozess eines Gemeinwesens, verstanden im Sinne von Wohnviertel, Nachbarschaft wie auch im Sinne eines funktionalen Gemeinwesens wie Krankenhaus, Betrieb oder Studentengemeinde wird dann identisch mit dem Prozess der Gemeindebildung als einem zugleich sozialen, politischen und religiösen Lernprozess.

Das bedeutet, dass sich in einer Gemeinde, wie Sie sie als dritten Typus beschreiben, nicht nur das Bewusstsein der kirchlichen Verantwortlichen, sondern auch der Gemeindemitglieder ändern muss. Braucht es da nicht wieder eine funktionierende Hierarchie wie im ersten Typus, die das forciert, oder eine ausgeprägte Demokratie wie im zweiten Typus, die das organisiert?

Ziel einer Gemeinde im Sinne eines Organismus ist nicht mehr, Seelen für den Himmel zu retten wie im ersten Modell. Oder religiöse Bedürfnisse und Nöte in vielfältiger Aktivität zu befriedigen wie im zweiten Modell. Hier geht es darum, einen gemeinsamen Lebensraum zu schaffen, miteinander zu leben, miteinander ein Stück Gesellschaft aufzubauen. Miteinander macht man sich auf den Weg, gemeinsam sucht man Orientierung, gemeinsam werden konkrete Ereignisse im Licht des Evangeliums angegangen, und dabei scheut man auch vor Gesellschaftskritik und politischem Engagement nicht zurück. Man lässt sich auf eine vom Evangelium inspirierte Reflexion sozialer und politischer Prozesse ein und tendiert dann zu einem entsprechenden Handeln, oft im Sinne eines alternativen Lebensstils: teilen, versöhnen, Parteinahme für die Schwachen, Feier als Erinnerung und Ausdruck von Hoffnung. Eine Gemeinde mit diesem Selbstverständnis ist nun voll und ganz Subjekt ihres eigenen Lebens. Pfarreiliche Arbeit will nicht einfach Freizeitbetrieb und religiöse Bedürfnisbefriedigung sein, sondern gemeindliches Handeln in ökumenischer und gesamtgesellschaftlicher Dimension. Religiös und profan fallen hier meist zusammen. Das Evangelium will das ganze Leben und alle Verhältnisse bestimmen und mitgestalten. Die Basisinteressen werden hier auch durch Basisgruppen wahrgenommen, und so werden solche Basisgruppen zum Subjekt des gemeindlichen Handels. Die Basis der Gemeinde sind dann nicht so sehr die Individuen als viel mehr die Summe solcher Basisgruppen. Sie werden nicht vom Pfarrer gegründet, sondern sie bilden sich im Idealfall selbst an der Basis. Ihnen haben die Amtsträger zu dienen und zur Verfügung zu stehen.

Die Kirchenpflege oder der Kirchenrat, wie er in einzelnen Kantonen heisst, wird zur Legislative, die hauptamtlichen Angestellten werden zur Exekutive. Der Pfarrer hat die Funktion des Animators, er hat den Dienst der Einheit und der Versöhnung zu übernehmen, oder in soziologischen Termini ausgedrückt: Er sorgt für die Koordination, für die Inter-Gruppen-Intervention und für das Konflikt-Management. Hier heisst das Motto für die Gemeinde nicht mehr wie im ersten Modell «breitwillig gehorchen», auch nicht mehr wie im zweiten Modell «mehr Aktivität», sondern hier heisst das Motto «intensiver leben». Die Pfarrei wird ein Stück Lebensgemeinschaft, ein Lebensraum.

Das klingt aber stark nach Idealvorstellung.

Glaube hat mit Leben und Erfahrung zu tun, auch mit Begegnung, wie ich schon oben ausgeführt habe. Glaube muss ins alltägliche Leben greifen. Dadurch wird Glaube nicht nur Freizeitbeschäftigung am Rand, sondern Lebensform in der Mitte und aus der Mitte des Evangeliums. Eine solche Gemeinde hat eine Geschichte, sie ist als Exodusgemeinde unterwegs, sie durchläuft einen Prozess. Sie werden zugeben, dass manche Anliegen und Elemente dieser Basiskirche auch schon in unseren Gemeinden greifbar sind. Und das sind dann in der Regel genau die Pfarreigemeinden, die mit dem Problem des Priestermangels am besten fertig geworden sind und trotz den oder vielleicht sogar gerade wegen der fehlenden Priester den Weg in die Eigenverantwortung gefunden haben. Wer die Geschichte der Basisgemeinde in der Dritten Welt und vor allem in Brasilien etwas verfolgt, wer Gemeindemodelle wie etwa die integrierte Gemeinde München oder die Gemeinde Frankfurt-Eschborn kennt oder gar selbst besucht hat, der wird erfahren, dass das, was ich als drittes Modell sehe, vielleicht noch Utopie ist, aber nicht Illusion.

Für einen wachsenden Teil der Katholiken findet jedoch Kirche nur punktuell statt: Bei der Taufe, der Erstkommunion der Kinder und bei der Abdankung.

Sie sprechen die Kasual-Seelsorge an. Wir haben es hier mit einer Terminologie zu tun, die zuerst im nichtkatholischen Raum üblich war und ein Handeln der Kirche meint, das wir im katholischen Verständnis unter den Begriffen Sakrament, Sakramentalien, Liturgie zusammengefasst haben. Wenn davon die Rede ist, so haben wir es mit streng theologischen Begriffen zu tun, die im Dogmatischen zu Hause sind. Wir denken an Gnadenvermittlung, wir bewegen uns also in heilsgeschichtlichen Kategorien. Wenn von Kasualien gesprochen wird, dominiert der anthropologische Ansatz. Kasualien bilden eine bestimmte Form gängiger religiöser und sakramentaler Kommunikation. In ihnen wird ein rituelles Verhalten des Menschen, das aus sich nicht spezifisch christlich zu sein braucht, ausgerichtet auf Gott, ein Ritual. So enthalten die Kasualien neben ihrem theologischen Anspruch, den sie zum Teil auch im Rückgriff auf die Bibel erheben, näm-

St. Martin, Taufbecken

lich Heil zu bezeichnen und zu vermitteln, immer auch sehr viele bedeutsame sozialpsychologische Implikationen. Das wird noch deutlicher, wenn wir in diesem Zusammenhang von «Rites de passages» sprechen. Sowohl bei der Taufe als auch bei der Hochzeit und bei der Beerdigung haben wir es mit einem Wechsel, einer wesenhaften Veränderung zu tun. Sie erscheint bei der Taufe als Eingliederung, bei der Trauung als Übergang, bei der

Bestattung als Trennung. Solche Statusübergänge werden seit je rituell geregelt. Ein mehr oder weniger kompliziertes Ritual wird abgehalten, um einem solchen Wechsel in angemessener Form und ohne allzu grosse Erschütterung einen Rahmen zu geben. In der praktischen Theologie erfährt die Kasualpraxis eine doppelte Beurteilung: Auf der einen Seite sieht man in ihr eine Chance zur Verkündigung des Evangeliums an eine möglichst grosse Zahl von sonst nicht erreichbaren Kirchengängern. Die Amtshandlungen werden zu Kontaktstellen der kirchlichen Verkündigung mit der ihr entfremdeten Gemeinde. Sie erscheine als Brückenkopf der Kirche in der Welt, sagt Rendtorff.[23] Auf der andern Seite geschieht eine Abwertung der Kasualien. Sie werden als volkskirchlich diffamiert. Die Behauptung, sie seien eine missionarische Gelegenheit, wird infrage gestellt. Kasualverkündigung erscheint als eine Gefahr für die Reinheit des Wortes. Die Kasualpraxis ist somit Chance und Gefahr der Verkündigung. Rudolf Bohren hat geschrieben, die Kasualpraxis sei für den Pfarrer unmenschlich geworden, so gehe es nicht mehr.[24] In diesem Zusammenhang wird oft das Gedicht «Der ungebetene Hochzeitsgast» von Kurt Marti angeführt:[25]

«Die Glocken dröhnen ihren vollsten Ton
und Photographen stehen knipsend krumm.
Es braust der Hochzeitsmarsch von Mendelssohn.
Der Pfarrer kommt! Mit ihm das Christentum.

Die Damen knie´n im Dome schulternackt,
noch in Gebet kokett und photogen,
indes die Herren, konjunkturbefrackt,
diskret auf ihre Armbanduhren sehn.

Sanft wie im Kino surrt die Liturgie
zum Fest von Kapital und Eleganz.
Nur einer flüstert leise: Blasphemie!
Der Herr. Allein, Ihn überhört man ganz.»

Sie selbst haben unzählige Male Kasualgottesdienste gefeiert. Welche Eindrücke haben Sie gewonnen, welche Erfahrungen haben Sie gemacht?

Der Pfarrer und sein Wort gehören nun einmal mit dazu wie die Blumen. Ich möchte da nochmals Kurt Mart zitieren, der es für die reformierte Kirche sehr treffend sagt in «Guerillataktik und Parteilichkeit» (und ich meine, dass es ohne Abstriche übertragbar ist auf die katholische Kirche):[26] «Ist der Gemeindepfarrer nicht trotz allem ein Zeremonienmeister? Ja, er ist es. Die Grosszahl der Kirchensteuerzahler, die unsre Kirchen finanziell tragen, erwartet vom Pfarrer vor allem den sakralen Kundendienst bei Taufe, Konfirmation, Trauung und Beerdigung. Diese Erwartung ist hartnäckig und zermürbend. Mit der Annahme, bei dieser Gelegenheit könnten selbst der Kirche Fernstehende missionarisch beeinflusst werden, trösten sich die bedrängten Pfarrer mehr schlecht als recht. Das auch gesellschaftlich relevante Ritual predigt (wie Rudolf Bohren darlegt) eindringlicher und nachhaltiger als die bestimmte Verkündigung des Predigers. Es predigt nicht das Evangelium, sondern heidnische Lebens- und Todesweihen. Der Pfarrer wird so dauernd missbraucht und wider seinen Willen vom Evangelisten zum Zeremonienmeister umfunktioniert. Das könnte einem das Pfarramt verleiden. Ich kann keinem einen Vorwurf daraus machen, dass er angesichts dieser Situation das Pfarramt verlässt oder gar nicht erst antritt.»

Soweit Marti. Ich möchte aber an dieser Stelle auch auf Walter Neidhardt verweisen, der es im Zusammenhang mit der Beerdigung ganz anders sieht. Er sieht im Zeremoniell eine psychohygienische Funktion, nämlich eine Entlastungsfunktion. Und in diesem Zeremoniell habe der Pfarrer seine Rolle zu spielen: «Er ist zunächst nolens volens Funktionär des Brauchtums, und zwar amtiert er als Zeremonienmeister. Dieser Begriff enthält nichts Abschätziges. Wenn wir einmal eingesehen haben, dass jeder Mensch auf die Hilfe der Gesellschaft und ihrer Riten angewiesen ist, sträuben wir uns nicht dagegen, dass das Zeremoniell einen Leiter haben muss.»[27] Neidhardt meint, der Pfarrer solle diese Rolle akzeptieren, sie als eine Hilfsleistung für die Mitmenschen bejahen und nicht vergessen, dass ihm gerade diese Rolle des Zeremonienmeisters einen grossen Spielraum biete, in dem er etwas anderes und mehr sein könne als eben nur ein Zeremonienmeister. Diesen Spielraum gelte es zu nutzen. So werde der Pfarrer zum wirklichen Meister.

Immer noch weitaus der grösste Teil aller katholischen Pfarreiangehörigen bringt seine Kinder zur Taufe, lässt sich in vielen Fällen kirchlich trauen und bittet fast lückenlos um die kirchliche Beerdigung der Angehörigen. Sicher ist dabei: Vom Ritus allein lässt sich die Kasualpraxis der Kirche als eine Praxis der Kirche Jesu Christi nicht rechtfertigen. Es kann darum gehen, das Ritual in den Dienst des Evangeliums und der Verkündung zu stellen, dabei die Prävalenz des Wortes gegenüber der Handlung zu betonen und den Ritus immer neu kritisch unter die Lupe zu nehmen. Der Zeremonienmeister darf nicht aufhören, christlicher Zeuge zu sein. Das Ritual, das ständig in Gefahr ist, zu überwuchern oder zu versteinern, muss immer wieder neu infrage gestellt werden. Und dies ist nur möglich durch den Vorrang des Wortes und der Sprache.

Wie auch immer man das Ritual wertet, letztlich handelt es sich dabei doch auch um eine Form der Seelsorge.

Seelsorge meint die Sorge um den einzelnen Menschen. Seelsorge als Menschensorge, Seelsorge im Zeichen mitmenschlicher Begegnung und im Zeichen des Gesprächs. Man spricht hier auch von der Kunst der Seelsorge, vom charismatisch begabten Seelsorger, von der Spiritualität einer Seelsorgerin. Christliche Anthropologie betrachtet den Menschen zu Recht nicht als eine Maschine, die es nach den verschiedenen Fährnissen des Lebens wieder zum Funktionieren zu bringen gilt, sondern christliche Anthropologie redet vom Menschen als von einem Geheimnis. Sie ist sich dessen immer bewusst gewesen. Dieses Geheimnis ist vor allem sorgsam und ehrfurchtsvoll anzugehen, wenn und wo es sich um den beschädigten, um den verletzten, um den leidenden und behinderten Menschen handelt. Matthäus 25, die Szene vom Weltgericht, ist und bleibt richtungsweisend. Der Mensch ist eine Hoheit, kein blosser Klient, kein austauschbarer Fall. So wird die Seelsorge zur hohen Kunst der Menschenführung, oder besser: der Menschenleitung. Es gilt ein Seelsorgegespräch «nach den Regeln der Kunst» zu führen. Und dazu genügt die Technik nicht, dazu braucht es spirituelle Qualitäten. In der Seelsorge paaren sich Theologie und Psychologie. Im Seelsorgergespräch verbindet sich das Wort Gottes mit dem Wort des Menschen. Und wiederum: Es ist eine hohe Kunst, in dieser Art und Weise Menschen zu begleiten, Seelsorger, Seelsorgerin zu sein.

Letztlich ist es auch eine gesellschaftliche Frage, wie die Menschen auf Zeitfragen reagieren. Wir sind ausgegangen von den pastoralen Erfordernissen an eine Gemeinde. Sie haben den Typus der Gemeinde als Organismus favorisiert, und jetzt sind wir beim Einzelnen angekommen. Wie konnte das in Ihren Vorlesungen gutgehen? Ihre Studenten waren doch zum grossen Teil zukünftige Gemeindeleitende und von der Kirche Angestellte, und Sie sagen nun, unter dem Strich komme es bei der Seelsorge auf die Sorge an der einzelnen Seele an. Passt das alles noch zusammen?

Aus meiner Sicht sollte praktische Theologie nicht beim Thema Kirche ansetzen, sondern beim Thema Gesellschaft. Wir haben es mit dem gesellschaftskritischen Ansatz zu tun. Praktische Theologie ist so im Sinne von Gert Otto kritische Theorie religiös vermittelter Praxis in der Gesellschaft. Im Vordergrund steht hier nicht die Kirche und das kirchliche Tun. Im Vordergrund steht die Gesellschaft. Die Kirche erscheint hier als eine mögliche Vermittlerin von religiöser Praxis. Im Vordergrund steht der Zusammenhang von Religion und Gesellschaft, deren Teil auch die Kirchen sind. Praktische Theologie wird dann meist funktional verstanden. Man setzt nicht bei der Kirche an, sondern beim konkreten Subjekt. Deshalb kann die Pastoraltheologie auch als Seelsorgewissenschaft gesehen werden. Der einzelne Mensch steht im Vordergrund. Es kommt so in der Konsequenz zu einer Individualisierung und Personalisierung der Pastoraltheologie. Das Seelsorgegespräch wird zur Dominante. Pastoralpsychologie tritt in den Vordergrund. Therapeutische Tendenzen bekommen ihr Gewicht.

Als Professor in Luzern wurden Sie vom Praktiker zum Theoretiker in diesen Fragen. Wenn Sie das gegeneinander gewichten, wo sehen Sie im Rückblick ihr Herzblut fliessen?

Es fiel mir nicht leicht, die Gemeinde St. Martin zu verlassen. In Luzern fasste ich jedoch schnell Fuss. Der Priestermangel zeichnete sich bereits überall ab. Ich wurde

Priesterseminar Luzern, Neubau 1972

von vielen Seiten für eine sonntägliche Predigt angefragt. Es hatte sich herumgesprochen, dass ich wohl anständig predigen konnte. Und so war ich bald an jedem Sonntag verpflichtet. Zudem betreute ich Schwestern seelsorglich an drei verschiedenen Orten. Die Seelsorge blieb mir somit erhalten. Das erleichterte mir den Rollenwechsel. Zudem war es für mich wichtig, neben meiner Lehrtätigkeit weiter den Bezug zur Praxis zu pflegen. Ich dozierte nicht nur, wie man es machen musste, sondern zeigte es auch in der Praxis.

Dozieren und predigen waren gewissermassen zwei rote Fäden in ihrem Berufsleben. Zumindest vom Predigen sagten sie, es sei eine Kunst. Somit sehen Sie sich auch als Künstler. Und als Predigtlehrer waren Sie folglich Kunstlehrer?

Ich ging mit meinen Studenten in die Pfarrgemeinden hinaus, wo sie Gastpredigten hielten. Sie wurden mit Video aufgezeichnet und analysiert, besprochen und ausgewertet. Das kam bei den Studenten gut an, war sehr lehrreich, und auch die Pfarrgemeinden partizipierten gerne.

Der Vermittlung sind natürlich auch Grenzen gesetzt, denn vieles ist einfach eine Frage der Begabung. Zuerst kommt es darauf an, was man formal in die Predigt einbringt. Wie belesen man ist, wie stark man mit Zitaten anreichert. Zudem zählt die Satzstellung. Und dann braucht es Konkretes, Anschauliches. Heute wird die Rhetorik da und dort vernachlässigt.

Und wie war es mit den Studenten, die waren ja keine Mittelschüler mehr: Zu welchem Unterrichtstil haben Sie in Luzern gefunden?

Das lief von Anfang an sehr gut. Sie spürten, dass ich sie mochte, dass ich an ihnen interessiert war, dass mir ihre Ausbildung am Herzen lag. Da gab es zahlreiche gute Begegnungen. Der Unterricht an einer Universität ist aber eine Herausforderung. Die Studenten kommen – oder sie kommen nicht. Das gebietet die akademische Freiheit. Man kann niemanden zwingen, die Vorlesungen zu besuchen. Wenn Professoren ihre Vorlesungen in Büchern herausgegeben hatten und an der Universität nur noch aus diesen Büchern vorlasen, waren die Lehrveranstaltungen schlecht besucht. Die Studenten dachten sich: «Was soll ich in die Vorlesung, wenn ich die Bücher lesen kann?» Bei mir sind die Studenten gerne gekommen, glaube ich, denn ich hatte eine lebendige Art, die Vorlesung zu gestalten.

In jener Zeit verstarb Ihr Vater in Zürich, worauf sie ihre Mutter nach Luzern holten.

Sie führte mir den Haushalt in Luzern. Das war natürlich ein Idealfall für beide. Sie hatte eine Aufgabe, war nach dem Tode ihres Mannes nicht allein, und ich hatte mit ihr eine grosse Unterstützung. Viele, die mir zuhause anriefen, begrüssten sie am Telefon mit Frau Professor. Das brachte sie jeweils zum Schmunzeln. Später wurde sie krank, da konnte ich mich um sie kümmern. Sie war schliesslich nur wenige Monate in einem Pflegeheim. Mit 87 Jahren ist sie im wahrsten Sinne des Wortes eingeschlafen. Das war ein schöner Tod. Sie hatte einen Tod, den ich mir wünsche. Ich habe durch sie viel über das Altern und Sterben gelernt. Nach ihrem Tode musste ich mich allein organisieren. Das war am Anfang recht schwierig. Wenn man allein lebt, ist man schon sehr allein, besonders an den Abenden. Ich kam nach Hause, aber niemand war mehr da. Wenn ich auswärts essen ging, musste ich allein gehen. Das war und ist auch heute noch nicht leicht.

Eine Konsequenz des Zölibates. Ist er notwendig aus Ihrer Sicht?

Zuerst das Positive: Der Zölibat schafft eine Freiheit. Dank ihm konnte ich mich ganz auf meine Aufgabe ausrichten. Ich hatte den Kopf frei für meine Aufgabe. Allerdings weiss ich nicht, ob ich ihn weniger frei gehabt hätte, wenn ich in einer Partnerschaft gelebt und mich mit Familienproblemen auseinandergesetzt hätte. Die Kehrseite des Zölibates wiegt schwerer. Die Einsamkeit, vor allem im Alter. Das Auf-sich-selbst-geworfen-Sein und den Menschen Verständnis, Wohlwollen und Zuneigung zu spenden, aber wenig auf dieser Eben zu erhalten. Stichwort Geborgenheit, Zärtlichkeit bis hin zur Sexualität. Die Einsamkeit ist übrigens viel schwerer zu ertragen als die sexuelle Problematik der Enthaltsamkeit. Hier ist es ganz wichtig, ob man sich einen Freundeskreis aufbauen kann. Dafür bin ich sehr dankbar. Wenn ich heute rückblickend die Frage beantworte, ob das Zölibat notwendig ist, komme ich zum Schluss, nein, es ist nicht notwendig. Ich glaube aber, dass mit der Aufhebung des Zölibats das Problem des Priestermangels nicht gelöst wäre. Die gesellschaftliche Situation des Priesters an sich ist zu schwierig. Es würde lediglich etwas gemildert. Wirklich entschärfen könnte die Frauenordination das Problem, das gäbe einen grossen Rutsch in der katholischen Kirche. Heute sind an den theologischen Fakultäten im Schnitt 50 Prozent Frauen. Als ich in Luzern an der Fakultät begann, gab es eine Studentin. Frauen hätten vielleicht auch weniger Schwierigkeiten mit dem Zölibat. Wenn für die katholischen Priester die Heirat möglich wäre, hätten wir ein neues Problem mit den Scheidungen. Die hohe Scheidungsrate der reformierten Priester evangelischen Pfarrerinnen und Pfarrer in Deutschland ist zu einem grossen Glaubwürdigkeitsproblem geworden. Denn Pfarrer und Pfarrerinnen stehen in einer Vorbildrolle. Aus meiner Sicht wäre die Freiwilligkeit eine gute Lösung: Ein freiwilliger Zölibat.

ZÖLIBAT

Der Zölibat als Enthaltsamkeitszölibat (also mehr als lediglich Ehelosigkeit) für alle Kleriker, die im Altardienst stehen, wurde erstmals auf der Synode von Elvira (ca. 306) als rechtliche Norm belegt (Canones 27 und 33). Erst 700 Jahre später ordnete Papst Benedikt VIII. auf der Synode von Pavia an, das Kleriker (Bischof, Priester, Diakon, Subdiakon) nicht mehr heiraten durften. Begründet wurde das Verbot mit der kultischen Reinheit: Sexueller Kontakt verunreinigt, so war man überzeugt. Massgeblicher war jedoch ein ganz praktischer Grund: Das Kirchenvermögen musste zusammengehalten werden, deshalb sollte es keine Pfarrerkinder geben, unter denen das Vermögen des Pfarrers, die Pfründe, als Erbe aufgeteilt werden musste. Das Verbot wurde aber bis zum Zweiten Laterankonzil (1139) sehr unterschiedlich respektiert. Seiter ist der Zölibat für Rom eine unaufgebbare Bedingung für den Empfang der Weihe; das Zölibatsversprechen wird bereits bei der Diakonenweihe abgegeben. An den Konzilien von Konstanz (1414–1418) und Basel (1431–1437) blieben Initiativen für die Auflösung des Zölibats erfolglos. Wohl als Konsequenz daraus war das Konkubinat während der Renaissance auch unter Bischöfen und Päpsten weit verbreitet.

Im Zweiten Vatikanischen Konzil wurde im Dekret «Über Dienst und Leben der Priester Presbyterorum ordinis» vom 7. Dezember 1965 der Zölibat für «in vielfacher Hinsicht angemessen» erklärt. Um gegenteilige Forderungen auszuschalten, erklärte Papst Paul VI. während des Konzils eine Diskussion über die Zölibatverpflichtung als «nicht opportun».

In der Schweiz wurde die Frage jedoch in der Synode 72 wieder aufgegriffen. Ebenso in Deutschland, als 1970 neun Theologen, darunter Joseph Ratzinger, Karl Rahner und Karl Lehmann, in einem Memorandum an die deutschen Bischöfe forderten, die Pflicht der Ehelosigkeit an der Synode der Bistümer der Bundesrepublik (1971–1975) auf den Prüfstand zu stellen.

Die Frage, ob ein Zölibat aus pastoraltheologischer Sicht Sinn macht, kann nicht schlüssig beantwortet werden. Die Ungebundenheit schafft zweifellos eine grössere Disponibilität und mehr Zeit für Vertiefungen. Anderseits fehlen die unterstützende Kraft einer Partnerschaft und das Erfahrungsgut aus Beziehungsalltag oder Kindererziehung.
Der Würzburger Pastoraltheologe Erich Garhammer meint zum Zölibat: «Das einzig Plausible ist das Charisma der Ehelosigkeit um des Himmelreiches willen.»[28] Deshalb fordert er einen Verzicht auf die Zölibatsvorschrift. «Das Gesetz verdunkelt das Charisma. Und es verarmt die Seelsorge in einem Mass, wie es nicht notwendig wäre.»[29]

Und die Theologin Barbara Haslbeck wirft noch einen andern Aspekt auf: «Hängt der Missbrauch [hinter Kirchenmauern] mit dem Zölibat zusammen?»[30]

Bei der Zölibats-Diskussion taucht immer wieder das Argument der Nachfolge Jesu auf, was zur Frage der Rolle von Maria Magdalena führt und Spekulationen nährt. Wenn auch die Beziehung von Jesus zu Maria Magdalena im Dunkeln bleibt, darf davon ausgegangen werden, dass sie am letzten Abendmahl anwesend war, weil in der jüdischen Tradition die Frauen für die Tafel zuständig waren. Erst später wurde das letzte Abendmahl zur Steigerung der Symbolkraft auf Jesus und seine zwölf Jünger reduziert. In der Darstellung von Leonardo da Vinci (Cenacolo, Mailand, 1498) sitzt zur rechten Seite von Jesus der Lieblingsjünger Johannes. Einzelne Interpretationen besagen, dass Johannes Maria Magdalena darstellen soll. Diese Interpretationen fussen auf dem Brustansatz, der unter dem Gewand zu sehen ist, aber auch auf den feinen Gesichtszügen der Darstellung. Dan Brown hat mit seinem Bestseller «The Da Vinci Code» (auf Deutsch «Sakrileg») 2003 diese Interpretation aufgegriffen und eine Romanstory konstruiert, wonach Jesus mit Maria Magdalena verheiratet war. Nicht Petrus und die nachfolgenden Päpste sollten die Kirche führen, sondern Frauen, beginnend mit seiner Witwe und der nach der Kreuzigung geborenen Tochter Sahra. Das Buch hatte 2009 bereits eine Auflage von 100 Millionen Stück in verschiedenen Sprachen erreicht.

Wie interpretieren Sie die Rechtfertigung des obligatorischen Zwangszölibates für Kleriker?

Ich habe soeben ein Buch darüber gelesen. Es gibt verschiedenste Quellen, die herangezogen werden. Jesus sagte, wer es fassen kann, der fasse es (Matthäus 19,12). Dann spielte das Mönchtum der Wüstenväter eine enorme

Rolle. Und ganz entscheidend: Es ist ein Machtproblem. Wenn einer über keine Familie verfügt, hat man ihn viel besser im Griff, und die Kirchengüter werden nicht in Priesterfamilien vererbt. Es gab ja ganz skurile Entwicklungen, dass die Kirche zum Beispiel wilde Beziehungen der Priester tolerierte, wenn sie mit Geld an Rom abgegolten wurden.

Zu den Erwartungen, die man an Sie als Priester stellt, wie den Zölibat oder den Dienstgehorsam dem Bischof gegenüber kamen noch Erwartungen hinzu, die man an Sie als Professor stellte.
Von Ihnen wurde als Professor eine publizistische Aktivität erwartet. War das Stress oder Freude für Sie?

Ich schrieb gern und leicht. Ich brachte es auf etwa 20 Publikationen, aber nicht auf dem hochgestochenen Niveau eines Forschers. Ich sah mich nie als klassischer Wissenschaftler, im Gegenteil. Mein Bestreben war, die schwierigen und sehr anspruchsvollen Probleme einfach darzustellen, zum Beispiel Gedanken von Karl Rahner allgemein verständlich zu machen. Das hat den Menschen gefallen. Das hat auch dazu geführt, dass ich zu vielen Vorträgen eingeladen wurde. So mögen einige Publikationen aus wissenschaftlicher Sicht etwas oberflächlich erscheinen, weil ich sie an einen breiten Kreis adressierte.

Ich nenne hier das Büchlein «Sakrament der Busse» von 1976, das ein Bestseller wurde. Es gab mehrere Auflagen und insgesamt wurden über 10 000 Exemplare verkauft. Das ist erstaunlich für ein Buch, das mit der

Frage beginnt: «Muss man heute noch beichten?»

Offenbar fühlten sich viele Menschen vom Klappentext angesprochen. Dort stand: «Recht verstanden erfüllt das Sakrament der Versöhnung einen der tiefsten Wünsche der Menschen, indem es zu einem versöhnten Leben und zu einer friedvollen Welt verhelfen möchte.» Das war eine neue, moderne Sichtweise, die auch friedensbewegte Menschen ansprach.

Mit dem neuen Beruf als Professor verfügten Sie auch über mehr frei gestaltbare Zeit. Wie gingen Sie damit um?

Ich entdeckte das Reisen. Ich war dabei von Anfang an auf Kunstgeschichte aus. Manchmal habe ich gedacht, dass ich eigentlich Kunstgeschichte hätte studieren sollen. Meine Reisen waren immer Studienreisen. Und mit der Zeit unternahm ich die nicht mehr allein: Wir bildeten bald einmal so etwas wie eine Reisegemeinschaft, eine Gemeinschaft von Freundinnen und Freunden. Wir reisten vor allem in Europa der Kunst nach. Das war sehr faszinierend.

Wie lautet Ihr Fazit aus diesen Reisen?

Die wichtigste Erkenntnis ist, dass Reisen toleranter macht. Mir wurde bewusst, dass wir nicht die einzig wahre Religion haben. Für mich haben alle Religionen ihre Berechtigung nebeneinander. Das ist der Pluralismus der Religionen, Ökumene für alle Religionen. Ich wäre wohl kein guter Missionar geworden. Mission muss heute ohnehin als Entwicklungszusammenarbeit verstanden werden. Reisen hat mich auch bescheidener gemacht, denn es relativiert viel. Letztlich geht es doch immer um die Menschlichkeit, um die Menschenwürde, und nicht um Konfession.

VI Lebensherbst: Einschränkungen, Vertiefungen und Anpassungen

Professor Bommer, seit nunmehr 25 Jahren – einem Viertel Jahrhundert! – sind Sie pensioniert. Blicken wir zurück ins Jahr 1988: Wie haben Sie Ihre Pensionierung damals erlebt?

Ich wurde mit 65 Jahren pensioniert. In Freiburg kann man unterrichten, bis man 70 ist, in Luzern gilt aber das Pensionsalter für alle Staatsbeamten. Als ich Professor wurde, war ich fünfzig, 15 Jahren später musste ich bereits wieder aufhören. Eigentlich sollte man länger unterrichten. Es ist schade um das Wissen, das noch vorhanden ist.

In meinem Fall war der Übergang sanft. Ich konnte zweimal ein Semester übernehmen, einmal in Bern und einmal in Freiburg, weil Vakanzen resultierten. Und in Luzern habe ich ein Semester länger unterrichtet, weil der Lehrstuhl mit dem Nachfolger noch nicht besetzt war. Die Pensionierung war auch deshalb für mich ein fliessender Übergang, weil ich andere Aufgaben erfüllen konnte, die mir Freude bereiteten. Der Priestermangel «sorgt» mitunter dafür, dass man als pensionierter Priester weiter beschäftigt ist. In diesem Sinne wurde ich nie ein klassischer Rentner.

Sie haben Ihren Lehrstuhl also nicht nur mit einem weinenden Auge verlassen?

Das lachende Auge hat überwogen. Wenn ich meine drei Berufsabschnitte vor Augen habe – Mittelschulseelsorge in Liebfrauen, Pfarrer in St. Martin und Professor in Luzern –, kann ich sagen, dass mir alle drei Abschnitte gefallen haben. Aber meine Zeit als Pfarrer war die glücklichste. Als Professor tätig zu sein, war eine tolle Aufgabe, aber nicht meine Leidenschaft.

Wir haben ganz zu Anfang über Ihren persönlichen Glauben gesprochen, ich möchte darauf zurückkommen:
Hat die wissenschaftliche Karriere Ihr Gottesbild verändert?

Nein, weil ich kein Theoretiker wurde. Ich war nie ein Forscher und deshalb kein grosser Wissenschaftler. Ich kann mich nicht mit den grossen Theologen messen. Denn ich habe das Handwerk vermittelt: Mit den Studierenden besuchte ich Pfarrgemeinden und vertiefte die dortigen Strukturen. Wir holten Spezialisten aus der Praxis und liessen uns Prozesse erklären. Ich war immer mit der Praxis verbunden und blieb es auch nach der Pensionierung. Als Professor betreute ich weiterhin Schwestern, predigte in verschiedenen Gemeinden, machte Krankenbesuche … Und nun bin ich selbst alt.

Wann wurden Sie sich dessen bewusst?

Vor nicht zu langer Zeit. Es kamen kleine Krebssachen an den Ohren, da merkte ich, dass es nicht mehr so gut geht.

Seit einem Jahr merke ich auch, dass mir die Ausdauer fehlt. Und nun habe ich Angst vor Demenz. Ich hatte in meiner Seelsorge viel mit alten Menschen zu tun. Meine kranke Mutter hatte ich bis zum Tode betreut. Ich bin mit den Alterserscheinungen vertraut. Deshalb bin ich sehr dankbar, dass es bis jetzt so gutging. Ich war praktisch nie krank und kann mit fast 90 Jahren immer noch predigen. Dafür bin ich sehr dankbar.

Wie empfinden Sie das Altern?

Das Leben wird mühsamer. Alles braucht mehr Kraft. Was früher selbstverständlich war, führt heute zu Stress. Zum Beispiel eine Reise nach Stuttgart. Und für vieles fehlt schlicht die Kraft. Wanderungen sind nicht mehr möglich und seit einem Jahr auch nicht mehr längere Spaziergänge. Das gibt mir schon zu denken, wenn ich im Altersheim esse und diese Menschen sehe, wie sie nicht mehr wissen, den Tag zu bewältigen. Altern ist etwas Brutales.

Das klingt nicht nach jemandem, der dem Altern etwas Positives abzugewinnen vermag, deshalb hake ich nach:
Haben in Ihrem Fall die Einschränkungen durch das Alter nicht auch etwas Neues ermöglicht?

Doch: die Spiritualität. Ich habe Meditations-Kurse besucht, um die Spiritualität in der Stille zu finden. Ich kann allen einen Meditationskurs im Alter empfehlen. Das ist eine Welt. Die Meditation ruht auf zwei Tatsachen. Die erste betrifft die Dinge um uns, die Welt und was sie trägt. Sie werden zum Gegenstand der Meditation. Ich erinnere ein herrliches Wort von Hans Urs von Balthasar: «Alle Dinge kann man doppelt betrachten: Als Faktum und als Geheimnis.» Die Dinge haben eine Tiefenstruktur. Sie sind mehr, als sie zu sein scheinen. Oder das populäre Zitat des Malers Georges Braque: «In der Kunst zählt nur das eine: Das, was man nicht erklären kann.» Es geht um die Gleichnis-Eignung der Weltdinge. Und so werden die Welt, die Natur, der Sonnenuntergang, das blühende Kornfeld, die Berge und der Wald, das Meer und der See zum Gegenstand der Meditation. Doch nicht nur die Welt, auch der Mensch hat seine Tiefen. Es gibt das Denkbewusstsein, aber auch das Tiefenbewusstsein, die rationale und emotionale Ebene, Animus und Anima, Geist und Seele, Intuition, Trieb und Gefühl. In der Meditation geht es darum, auch hier die Tiefenschichten lebendig werden zu lassen. Sich selbst finden, zu sich selbst kommen. Wer bin ich? Wo stehe ich? Macht mein Lebensstil Sinn? Es geht um Innerlichkeit, um Innesein, Daseinfühligkeit. Martin Buber schrieb: «Mit dem Herzen denken und mit dem Verstand fühlen». Meditation kann ein Weg zum vollen Menschsein bedeuten, ein Weg zur Begegnung mit sich selbst und wohl auch einmal mit Gott. Meditation als Weg zum Glauben als Vertrauen. Ein Abstieg in die Tiefe meines eigenen Seins.

Einschränkung, dafür Vertiefung. Muss das gelernt sein?

Ein Kurs ist sehr hilfreich. Sie muss aber vor allem *geübt* sein. Der ganze Mensch kommt ins Spiel. Schon das Sitzen und die Atmung sind wichtig, die Körperhaltung und der Raum. Der Schwerpunkt rutscht vom Kopf in den Bauch. Es gibt eine naturale und eine religiöse Meditation, oft auch Betrachtung genannt. Eine Wort- und eine Bildmeditation. Man meditiert Symbole, hört Musik, vertieft sich in einen Gegensatz, ein Stillleben, eine Ikone. Man meditiert aber auch Erfahrungen, biblische Worte, ein Gedicht, ein Erlebnis, eine Erzählung. Immer geht es aber um die Ruhe und Stille, um ein Einswerden, um ein Berührtwerden, um das grosse Schweigen, sich berühren Lassen, Staunen und sich Öffnen. Es geht um die Innerlichkeit, um den heiligen Geist. Hier möchte ich auch einer kleinen Geschichte erzählen, die das Gemeinte verdeutlicht.

«Der kleine Nachtwächter eines unbedeutenden Dorfes findet im Mondschein ein vierblätteriges Kleeblatt. Er weiss, dass das Glück bringt. Aus Freude darüber bläst er sein Horn, ruft die Dorfbewohner zusammen. Der Poet, die Marktfrau, der Schmid, das Blumenmädchen und der Lausejunge kommen herbeigeeilt. Das Glück besuchte mich heute Nacht, verkündet der kleine Nachtwächter freudestrahlend. Und alle setzen sich nieder und warten auf das Glück, das sich im Kleeblatt angekündigt hatte. Es wird ganz ruhig. Alle lauschen in die Nacht hinaus. Der Wind raschelt leise in den Blättern, die Nachtigall singt im nahen Wald, ab und zu schwirrt eine Fledermaus vorbei – sonst ist aber nichts zu vernehmen. Die Nacht hat sich ausgebreitet mit ihrer tiefen Ruhe. «Wann kommt endlich das Glück?», ruft der Lausejunge. Der Poet aber, die Marktfrau, der Nachtwächter und das Blumenmädchen – sie alle verstehen, dass das Glück bereits eingezogen ist. Sie sitzen und hören und lauschen bis zur Morgendämmerung.»[31]

Bei meiner Frage, ob sich Ihr Gottesbild durch ihre akademische Tätigkeit verändert habe, antworteten Sie nein, weil Sie kein Theoretiker geworden seien. Hat sich aber durch Ihre Altersspiritualität, durch die Vertiefung in die Meditation (die scheint auch theoretisch, und zudem sind Sie nicht mehr so aktiv im Berufsalltag), Ihre Beziehung zu Gott verändert?

Ja, sogar auf sehr praktische Weise: Ich rede Gott nicht nur als Person an. Gott ist viel mehr überall. Er ist ein Geheimnis, hinter das ich nicht mehr zu kommen versuche. Ich habe mich durch die Vertiefung meiner Spiritualität von massiven Gottesbildern der Bibel gelöst. Gott ist für mich einfach das grosse Geheimnis, in dem ich lebe. Mein Gottesbild hat sich dadurch positiv verändert. Ich fühle mich besser in ihm, Gott, aufgehoben.

Hängt diese Spiritualität im Alter auch mit der Tatsache zusammen, dem Tod näherzukommen?

Ich denke oft ans Sterben. Und ich muss gestehen, dass ich

vor dem Sterben Angst habe. Denn ich lebe so gerne. Ich habe auch Mühe, mir vorzustellen, wie es weitergehen soll. Die ganze Frage der Unsterblichkeit ist für mich je länger desto stärker ein grosses Rätsel. Rational ist es so schwer vorstellbar, wie Milliarden von Menschen einzeln vor Gott treten und gerichtet werden. Da bleibt nur eine ganz grosse Hoffnung. Und dann das Problem der persönlichen Unsterblichkeit. Es gibt auch Theologen, die meinen, eine Unsterblichkeit, eine Ewigkeit sei fürchterlich, weil es nie zu Ende gehe. Da ist die Idee des Nirwana, das Eingehen in eine grosse Energie, für viele eine erträglichere Vorstellung. Die persönliche Unsterblichkeit ist ein Komplex, mit dem ich theologisch aktuell am meisten Probleme habe.

Wahrscheinlich hat jeder Mensch Angst vor dem Sterben, weil es ein unbekannter Prozess ist.

Es ist die Angst vor dem Sterbevorgang. Es gibt viele Meinungen zu diesem Prozess. Aber letztlich sind sie Spekulationen.

Glauben Sie, als Priester leichter zu sterben?

Hans Urs von Balthasar hat immer gesagt, er *hoffe*, dass alle Menschen gerettet werden. Ich *rechne* mit einer Allerlösung, alle Menschen sollen gerettet werden. Für Gott wäre eine Hölle unerträglich. Aber wie kommen dann die Opfer des Holocausts zu ihrem Recht? Rahner und von Balthasar glaubten, dass Gott nicht strafe, sondern dass jeder Mensch sich selbst bestrafe. Er sei kein strafender Gott, sondern ein barmherziger Gott, der dafür sorge, dass wir uns selbst zur Rechenschaft ziehen.

Können Sie das bitte erklären – vielleicht mit einem Bild?

Erstens gibt es Gewissensbisse und Reue bereits im Leben. Viele Menschen tragen schwer an der Last von Versäumnissen, falschem Verhalten oder voreiligen Urteilen. Das sind oft schmerzhafte Wunden, die langsam oder gar nicht verheilen. Hier zieht sich der Mensch bereits selbst zur Rechenschaft. Zweitens stelle ich mir vor, dass jeder Mensch nach seinem Tode vor Gott tritt und überwältig ist von seiner Liebe. Diese Liebe löst Scham, Bedauern, Reue über eigene Handlungsweisen im Leben aus, die in diesem Licht der Liebe als übel, unrecht oder falsch erscheinen. Es ist dann ein Leiden am eigenen Versagen. Das ist ein Bild, aber letztlich bleibt es für uns unfassbar.

Professor Bommer, mit mir zusammen haben Sie auf 90 Lebensjahre zurückgeblickt. Wie alt möchten Sie gerne werden?

Das überlasse ich Gott. Deshalb kann ich es nicht sagen. Ich möchte einfach noch etwas gesund bleiben und über ein funktionierendes Hirn verfügen. Mein Wunsch ist, am Altar zusammenzubrechen. Oder noch schöner, während der Predigt.

Erlauben Sie mir zum Schluss den Versuch, ein Fazit zu ziehen, ein kurz zusammengefasstes geistliches Vermächtnis, über das Leben allgemein und für die Kirche, in der Sie Ihr ganzes Leben aktiv gelebt haben: Was ist das Wichtigste im Leben?

Eine gute genetische Konstellation. Wenn in diesem Punkt etwas schief läuft, kann das ganze Leben überschattet sein. Dann die Gesundheit, und drittens materielle Voraussetzungen. Wenn man krank ist oder ständig schauen muss, wie man durchkommt, wird das Leben hart. Dann zählen die gesellschaftlichen Umstände. Die Schweiz ist in diesem Sinne ein Paradies. Entscheidend ist somit, wie man geboren wird, genetisch, geografisch und finanziell. Das sind die Geschenke. Eine Mischform von Geschenk und Selbstbestimmung sind Ausbildung, Berufswahl, Arbeit, Erfolg und Begegnungen. Sie prägen das weitere Leben.

Und der Glaube?

Man darf die Religion nicht überbewerten. Ich kann nicht sagen, der Glaube ist das Wichtigste im Leben. Denn ich möchte nicht Menschen verurteilen, die keinen Glauben haben. Man kann auf Gott verzichten und trotzdem ein anständiges Leben führen. Es braucht dann besonders Sinn für Menschlichkeit und für Menschenrechte. Und ganz wichtig ist für mich die Herzlichkeit.

Welchen Rat wollen Sie der Kirche als Vermächtnis hinterlassen?

Die Kirche muss sich eingestehen, dass ihr System krank geworden ist. Dann sind echte Reformen möglich, mit denen sie den Menschen entgegenkommen kann. Das Kranke an der Kirche sind die Ämtertheologie und der Zentralismus. Die Kirche soll den Mut finden, das Zweite Vatikanische Konzil endlich umzusetzen. Auch das Papsttum müsste versuchen, in eine andere Richtung zu funktionieren. Weg vom absolutistischen Zentralismus mit feudalem Habitus, hin zu synodalen Strukturen. Die Menschen leben heute in anderen Staatsformen als vor mehreren hundert Jahren. Die Demokratisierung in grossen Teilen der Welt und der wirtschaftliche Aufschwung haben die Menschen in ihren Wahrnehmungen grundlegend verändert. Das Papsttum hat mit dieser Entwicklung der Menschen aber nicht Schritt gehalten. Die Gefahr ist heute deshalb gross, dass die Menschen das absolutistische System nicht mehr ernst nehmen. Kurz: Das Papsttum braucht eine Rückbesinnung, eine neue Orientierung an den biblischen Texten, um den Anschluss an die heutige Zeit zu finden. Ich denke an zentrale Gleichnisse Jesu wie das vom barmherzigen Samariter, der ohne Rücksicht auf Herkunft und Stand in der Not hilft. Dann an das Gleichnis vom verlorenen Sohn und seinem barmherzigen Vater, das ermutigt, dem Reumütigen Versöhnung anzubieten. Ich denke auch an Texte aus dem Alten Testament: Der Prophet Amos, der immer wieder an das soziale Gewissen der herrschenden Klasse appelliert.

Dann hätten wir eine geschwisterliche Kirche, die einem breiteren Kreis eine Heimat bietet.

PUBLIKATIONEN
(Monografien und Herausgeberschaften, ohne Aufsätze)

Von der Beichte und vom Beichten, Luzern 1961, [2]1962, in französischer Übersetzung: Paris 1964; in holländischer Übersetzung: Helmond 1964

Gesetz und Freiheit im Katholizismus, Luzern, 1963, in spanischer Übersetzung: Barcelona 1967; in italienischer Übersetzung: Assisi 1969

Glück und Not der Liebe, Luzern 1964

Vom Beten des Christen, Luzern 1966, in spanischer Übersetzung: Barcelona 1970

Worte auf den Weg. Morgenbetrachtungen am Radio Beromünster, 10 Bände, hg. zusammen mit Otto Hophan u. a., Luzern 1960–1967

Gottes Stimme im Kirchenjahr. Liturgische Meditationen, Luzern 1967

(mit Timotheus Rast:) *Beichtprobleme heute*, Würzburg 1968

Einübung ins Christliche. Gedanken für den Alltag, Freiburg i. Br. 1970

(mit Gion Condrau:) *Schuld und Sühne*, Zürich/Würzburg 1970

Wege der Menschenbildung. Eine kleine Tugendlehre, Basel 1970

Plädoyer für die Freiheit. Predigten, Zürich 1971

(mit Jakob Baumgartner:) *Buss- und Versöhnungsfeiern*, Einsiedeln 1972, [2]1974

Bussgottesdienste für Weihnachten und Ostern. 12 Modelle, Luzern 1974

Befreiung von Schuld. Gedanken zu einer neuen Buss- und Beichtpraxis, Einsiedeln 1976

Das Sakrament der Busse, Freiburg i. Ue. 1976, in holländischer Übersetzung: Haarlem 1979

Versöhnung als Befreiung. Arbeitsmaterialien zur Buss- und Beichtpraxis, Einsiedeln 1980

Neue Bussgottesdienste, Luzern 1986

Fastenzeit, heilige Woche, Freiburg i. Ue./Mödling b. Wien 1979

Gemeinde auf dem Weg Jesu, München 1988

Festschrift, hg. von Reinhold Bärenz:
Theolgie, die hört und sieht. Festschrift für Josef Bommer zum 75. Geburtstag, Würzburg 1998

Der Gesprächspartner

Anton Ladner (1958) hat in Bern Jurisprudenz studiert und war während 25 Jahren Wirtschaftsredaktor bei verschiedenen Medien (Berner Zeitung, Radio DRS, Weltwoche und CASH). Seit zwei Jahren arbeitet er in der Finanzkommunikation.

Anmerkungen

[1] Zitiert bei *Siegfried Wiedenhofer:* Logik, Hermeneutik und Pragmatik des theologischen Begriffs «successio apostolica», in: *Theodor Schneider/Gunther Wenz (Hg.):* Das kirchliche Amt in apostolischer Nachfolge I: Grundlagen und Grundfragen, Freiburg i. Br./Göttingen 2004, 417–484, 422 Anm. 15.

[2] *Karl Rahner:* Sendung und Gnade. Beiträge zur Pastoraltheologie, Innsbruck 1959, 45.

[3] *Herbert Vorgrimler:* Karl Rahner verstehen. Eine Einführung in sein Leben und Denken, Freiburg i. Br. 1985, 109.

[4] *Karl Rahner:* Frömmigkeit früher und heute, in: *Karl Rahner:* Schriften zur Theologie, Bd. VII, Zürich 1966, 11–31, 22.

[5] Vgl. *Julian Bittner:* Erst Beichte, dann Psychoanalyse. Über Schuld und Vergebung, online unter www.dradio.de/dkultur/sendungen/feiertag/707018/.

[6] So z. B. in: Synode 72 – Dokumente der Diözese Basel. Gebet, Gottesdienst und Sakramente im Leben der Gemeinde, Abschnitt 6.3.5, online unter www.bistum-basel.ch/d/aktuell/dokumente/19720923_02.htm#6.

[7] *Salamanes Hermeias Sozomenos:* Historia Ecclesiastica, Buch 7, Kap. 16.

[8] Die Website der Klinik belegt die Angaben über ihre Exklusivität von Josef Bommer bis heute: www.clinicaquisisana.it.

[9] Zitate im Zitat aus *Hans Urs von Balthasar:* Schleifung der Bastionen. Von der Kirche in dieser Zeit, Einsiedeln/Trier [5]1989, 21 bei *Benedikt Barth:* Die Last der Tradition – Hans Urs von Balthasar zum Hundertsten, 2, online unter www.muenster.de/~angergun/benediktbarth.pdf.

[10] *Hans Urs von Balthasar:* Schleifung der Bastionen. Von der Kirche in dieser Zeit, Einsiedeln/Trier [5]1989, 17.

[11] Vgl. *Benedikt Barth:* Die Last der Tradition – Hans Urs von Balthasar zum Hundertsten, 3, online unter www.muenster.de/~angergun/benediktbarth.pdf. Zitat aus *Hans Urs von Balthasar:* Schleifung der Bastionen. Von der Kirche in dieser Zeit, Einsiedeln/Trier [5]1989, 22.

[12] Der vollständige Text in deutscher Übersetzung fidet sich online unter www.theol.uni-graz.at/cms/dokumente/10012661/60bc9348/Konzilsank%FCndigung+von+Papst+Johannes+XXIII.pdf.

[13] «Gastkommentar» von Prof. Dr. *Manfred Belok* in: Bündner Tagblatt (26. Juni 2012), 2. Ausführlich über die Synode 72 in den Schweizer Diözesen bei *Manfred Belok:* Die Synode 72 in der Schweiz (1972–1975), in: 40 Jahre Gemeinsame Synode der Bistümer in der Bundesrepublik Deutschland (1971–1975) Teil 2, in: PThI 31 (2/2011) 21–43, online unter miami.uni-muenster.de/servlets/DerivateServlet/Derivate-6379/2011-2_s21-44_belok.pdf.

[14] *Karl Rahner*: Vergessene Wahrheiten über das Bußsakrament, in: *ders.*: Schriften zur Theologie, Band 2, Zürich/Einsiedeln/Köln [8]1968, 339–264, 342

[15] *Reinhold Bärenz (Hg.):* Theologie, die hört und sieht. Festschrift für Josef Bommer zum 75. Geburtstag, Würzburg 1998.

[16] *Karl Barth:* Offenbarung, Kirche, Theologie. Drei Vorträge, gehalten vom 10.–12.4.1934 in Paris, in: *Karl Barth:* Theologische Fragen und Antworten, Zollikon 1957, 158–184 (Gesammelte Vorträge ; 3).

[17] *Karl Rahner*: Gerecht und Sünder zugleich, in: Geist und Leben 36 (1963) 434–443, 442.

[18] Lk 15,11–32.

[19] Mt 5, 23 f.

[20] Vgl. Mt 18,21 f.

[21] Die Predigten sind dokumentiert in: *André Ritter/Karin Ritter (Hg.):* Ortswechsel. Vaduzer Predigten 1997–2008, Zürich 2009.

[22] Intensiv und kontrovers wird die Diskussion über den Priestermangel geführt in: *Arnd Bünker/Roger Husistein (Hg.):* Diözesanpriester in der Schweiz. Prognosen, Deutungen, Perspektiven, Zürich 2011 (Beiträge zur Pastoralsoziologie ; 15).

[23] *Trutz Rendtorff:* Die soziale Struktur der Gemeinde. Die kirchlichen Lebensformen im gesellschaftlichen Wandel der Gegenwart. Eine kirchensoziologische Untersuchung, Hamburg 1960, 81.

[24] *Rudolf Bohren:* Unsere Kasualpraxis – eine missonarische Gelegenheit?, München [3]1968.

[25] *Kurt Marti:* Guerillia und Parteilichkeit: Überlegungen eines Gemeindepfarrers, in: *Hans-Dieter Bastian (Hg.):* Kirchliches Amt im Umbruch, Mainz/München 1971, 105–114.

[26] *Kurt Marti:* Der ungebetene Hochzeitsgast, in: *ders.:* Für eine Welt ohne Angst. Berichte, Geschichten, Gedichte, Hamburg 1981, 34.

[27] *Walter Neidhart:* Die Rolle eines Pfarrers beim Begräbnis, in: *Rudolf Bohren/Max Geiger (Hg.):* Wort und Gemeinde. Probleme und Aufgaben der praktischen Theologie. Eduard Thurneysen zum 80. Geburtstag, Zürich 1968, 231.

[28] *Erich Garhammer (Hg.):* Zölibat zwischen Charisma und Zwang, Würzburg 2011, 8.

[29] Ebd.

[30] *Barbara Haslbeck:* Missbrauch in der Kirche aus Opferperspektive, in: Pastoraltheologische informationen 30 (2/2010) 87–101, 87, online unter miami.uni-muenster.de/servlets/DerivateServlet/Derivate-5990/2010_2_s87-101_haslbeck.pdf.

[31] *Margit Schnider,* in: Von der wundersamen Torheit der Dinge, Kleine Märchen und Geschichten, Eschbach 1998, 19.

Bildnachweise

S. 19: Innenansicht der barocken Klosterkirche Disentis mit Ausmalungen am Deckengewölbe von Fritz Kunz. S. 22: Historische Fotografie um 1930. S. 23: Benediktinerabtei Disentis, gegründet 720, heute im baulichen Zustand des 17. Jahrhunderts. Das Gymnasium im Kloster Disentis wurde 1285 erstmals urkundlich erwähnt. Seit 1936 können Maturitätsprüfungen abgelegt werden. S. 24: Luftaufnahme um 1940. S. 25: Internat Disentis um 1940. Innenansicht: Speisesaal, eingedeckt für Werktage. S. 26: Klassenfoto aus dem Bestand des Klosterarchivs. S. 27: «Reif sein ist alles!» Maturakarte der Abschlussklasse 1942. Mit freundlicher Genehmigung des Klosters Disentis. – S. 29: Aussenansicht des Priesterseminars St. Luzi, Schanfiggerstrasse, Chur, mit freundlicher Genehmigung – Ss. 34, 49, 56, 57: Aus dem Privatbesitz von Josef Bommer. – S. 45: Aussenansicht der Liebfrauenkirche, Zehnderweg Ecke Weinbergstrasse/Leonhardstrasse, Zürich, Südansicht. Die Kirche wurde 1883 im Stil einer frühchristlichen Basilika erbaut. S. 47: Innenansicht der Liebfrauenkirche Zürich mit Ausmalungen von Fritz Kunz. Mit freundlicher Genehmigung der Kirchgemeinde Liebfrauen, Zürich. – S. 51: Historische Ansicht der Clinica Quisisana, Rom, mit freundlicher Genehmigung. – S. 52: Eingangsbereich der päpstlichen Universität Angelicum in Rom, mit freundlicher Genehmigung. – S. 59: Maximilianum, Leonhardstrasse, Zürich; Aufnahme: Anton Ladner. – Ss. 69, 70, 91, 103: Pfarrkirche St. Martin, Krähbühlstr. 50, Zürich. Fotografien von

Jürg Zürcher, St. Gallen, mit freundlicher Genehmigung. – Ss. 76, 110: Neubau des Priesterseminars St. Beat, Luzern, aus dem Jahr 1971/1972. Das Gebäude wird in diesem Jahr als Priesterseminar aufgegeben, weil es sich über Jahre hinweg als zu gross erwiesen hat. Mit freundlicher Genehmigung des Priesterseminars Luzern. – S. 82: Hofkirche Luzern in der Nähe des Priesterseminars; Aufnahme: Anton Ladner.